MW00615005

Леонид Спивак

Меж двух берегов

БОСТОН • 2014 • BOSTON

серия «ПОРТРЕТЫ НА ФОНЕ ЭПОХИ»

Леонид Спивак. *Меж двух берегов*

Leon Spivak. *Mezh dvukh beregov*
(Between Two Shores)

ISBN 978-1-940220-15-4
Library of Congress Control Number: 2014914375

Published by M•Graphics, Boston, MA
www.mgraphics-publishing.com
info@mgraphics-publishing.com
mgraphics.books@gmail.com
(781) 990-8778

Дизайн обложки: П. Крайтман © 2014

Фотографии и иллюстрации в тексте: Wikimedia.org
Фото автора на обложке: В. Машатин © 2012

При подготовке издания использован модуль расстановки переносов русского языка **batov's hyphenator**™ (www.batov.ru)

Отпечатано в США

*Автор выражает благодарность
всем своим друзьям, оказавшим поддержку
в создании книги.*

*Особая благодарность Елене Катишонок,
Ларисе Левич, Светлане Рябичевой,
Марии и Михаилу Герштейнам
за ценные поправки и критические замечания.*

СОДЕРЖАНИЕ

Светлой памяти моей мамы

Основные даты
ранней американской истории

20–15 тыс. лет до н.э. — в Северную Америку пришли первые люди, выходцы из северо-восточной Азии — так называемые «палеоиндейцы».

1000–1013 — открытие Америки викингами, первые попытки колонизации. Скандинавский мореплаватель Лейф Эриксон основал поселение на северо-восточном побережье материка.

1492 — открытие Колумбом Америки (Багамских островов). Великий мореплаватель никогда не ступил на материковую часть Америки. Убежденный, что он открыл «путь в Индию», Христофор Колумб назвал коренных жителей континента «индейцами».

1497 — Джон Кабот первым после викингов достиг материка Северная Америка. Его открытия позднее стали основанием для британских притязаний в Новом Свете.

1507 — германский картограф Мартин Вальдземюллер присвоил новой части света имя «Америка», в честь флорентийского исследователя Америго Веспуччи, который дал первое научное описание нового континента.

1565 — испанцы основали форт Св. Августина во Флориде (ныне город Сент-Огастен) — первое постоянное европейское поселение на территории будущих Соединенных Штатов.

АМЕРИКА БЫЛА ОШИБКОЙ...

На Старом континенте Америку не любили задолго до появления Белого дома и Голливуда, Макдональдсов и попкультуры. Среди европейских интеллектуалов антиамериканизм всегда был некоторого рода традицией. Устойчивым обычаем, ведущим свое начало со времен открытия и освоения Нового Света.

«Америка изливает на Европу целые потоки разложения», — писал в XVIII веке аббат Рейналь. Этого знаменитого историка и философа из плеяды французских просветителей можно считать первым идеологом антиамериканизма. В 1770 году Гийом Рейналь издал свою самую известную книгу «Философическая и политическая история о селениях и коммерции европейцев в обеих Индиях» (Новый Свет все еще именовали «Западной Индией» — *Л. С.*). Сей гигантский шеститомный труд, в работе над которым принимал участие Дидро, впоследствии многократно переиздавался. Один из лучших умов Европы того времени барон М. Гримм (постоянный парижский корреспондент императрицы Екатерины II) сказал о книге знаменитого аббата: «Со времен Монтескье наша литература не порождала более достойного памятника эпохи Просвещения».

Рейналь утверждал: «Америка не дала ни одного хорошего поэта, ни одного способного математика, ни одного гения в каком-либо виде искусства или области науки». Причиной столь плачевного состояния дел, по мнению аббата, явилось «очевидное вырождение» цивилизации в Новом Свете. Историк Артур М. Шлезингер комментировал на сей счет: «В популярной книге Рейналя... объяснялось, какая угроза европейской невинности исходит от американской порочности... Поиски богатств в Америке сделали вторгшегося туда европейца зверем. Климат и почва Америки способствовали тому, что европейские виды как человека, так и животных ухудшились. «Мужчины обладают меньшей силой и меньшей храбростью… и маловосприимчивы к живому и могучему чувству любви» — данное замечание, возможно, изобличило Рейналя как более француза, нежели аббата».

На Руси первый литературный образ Америки появился в творчестве иеромонаха московского Чудова монастыря и справщика (корректора) печатного двора Кариона Истомина. В 1694 году Карион издал книгу с иллюстрациями «Полис, си есть Град царства небеснаго», где есть следующие строки:

Америка часть четверта
Ново земля в знань отперта.
Вольнохищна Америка
Людьми, в нравах, в царствах дика…
Царства имут без разума,
Не знав Бога, худа дума.

Гийом Рейналь

Аббат Рейналь отнюдь не был единственным антиамериканистом в Европе XVIII столетия. Знаменитый натуралист Жорж Бюффон в «Естественной истории» делал вывод, что жизнь по ту сторону Атлантики обречена на биологическую неполноценность. Поэт и драматург Оливер Голдсмит изображал заокеанский материк сумрачной страной, где даже собаки, подышав американской атмосферой, перестают лаять, а птицы петь. Но нигде идея о «порочной природе Нового Света» не нашла столь концентрированного изложения, как в трудах самого известного французского аббата. Избранный членом Лионской академии Гийом Рейналь даже учредил в ней премию в тысячу двести ливров за лучшую работу на тему «Было ли открытие Америки ошибкой?» Сам философ вполне определился с ответом на свой вопрос.

Гийом-Франсуа Тома Рейналь ушел из жизни на исходе XVIII столетия, увидев американский «ответ» Старому Свету — Декларацию независимости США и республиканскую Конституцию, старейшую из ныне действующих в мире. Но даже будучи

Обложка книги Г. Рейналя «Философическая и политическая история о селениях и коммерции европейцев в обеих Индиях»

знакомым с трудами Бенджамина Франклина и Томаса Джефферсона французский философ мало изменил свои взгляды на природу четвертого континента.

Известен эпизод, когда европейским и американским интеллектуалам удалось напрямую обменяться мнениями. Находясь в Париже, Б. Франклин давал обед, на котором присутствовало несколько американских дипломатов и дюжина французских гостей во главе с Рейналем, увенчанным европейской славой. Как пишет историк А. Герби, «аббат произнес одну из своих обычных напыщенных тирад насчет неполноценности американцев. Хозяин, как всегда ироничный, предложил изучить проблему опытным путем: «Давайте проясним этот вопрос доступными нам средствами», — сказал Франклин, попросив гостей встать спиной друг к другу и померяться ростом». Присутствовавший на том обеде Т. Джефферсон отметил: «Среди американцев не оказалось ни единого, кто не смог бы выкинуть в окно одного, а то и сразу двух из числа остальных гостей».

Отношение Рейналя и других европейских интеллектуалов к Америке и американцам не было порождено отсутствием достоверной информации о Новом Свете. В 1575 году — за двести лет до Рейналя — французский монах-францисканец Андре Теве привлек внимание читателей своей «Всеобщей космографией», где весь четвертый том был полностью посвящен заокеанским землям. Более шестисот статей знаменитой французской «Энциклопедии» под редакцией Дидро имеют отношение к Новому Свету. Гийом Рейналь закладывал идейную традицию неприятия «чужеродного» влияния на европейскую цивилизацию. И вовсе уж пророческими оказались слова французского аббата: «Запомните, что никогда не наступят времена, когда мой вопрос не будет столь же актуален».

Хроника XVII столетия

1607 — на атлантическом побережье Северной Америки построен форт Джеймстаун, положивший начало первой английской колонии Вирджинии.

1620 — переселенцы — «пилигримы» — основали Плимут (в нынешнем штате Массачусетс), первое поселение Новой Англии.

1624 — на острове Манхеттен в устье реки Гудзон заложен голландский форт Новый Амстердам (будущий Нью-Йорк).

1636 — в Кембридже (Массачусетс) основан Гарвардский университет — старейшее высшее учебное заведение в Америке.

1637 — по приказу царя Михаила Федоровича сделан русский перевод «Космографии» — труда фламандского картографа Меркатора («Книга, глаголемая Козмография, сиречь описание сего света земель и государств великих»). В книге содержалась обстоятельная и достоверная информация о Новом Свете.

1698 — в Лондоне состоялась первая документально подтвержденная встреча известных исторических деятелей России и Америки — московского царя Петра I и Уильяма Пенна, основателя колонии Пенсильвания.

АРКАНЗАССКИЙ МИРАЖ

Америка уже казалась мне раем…

А. Ф. Прево

Некоторые из городов американского Юга обязаны своим возникновением странному человеку, никогда не бывавшему в Западном полушарии. Вряд ли его имя увековечат в бронзе или назовут им улицы в Луизиане или Арканзасе. Скажем так: в США предпочли забыть недобрую славу основателя Нового Орлеана и других городов в долине Миссисипи.

История начиналась вечером 9 апреля 1694 года, когда в Лондоне скрестили шпаги придворный вельможа Эдвард Уилсон и сын ювелира Джон Ло (*Law*), приехавший из Эдинбурга в поисках удачи. Причиной дуэли стало соперничество джентльменов за благосклонность одной из королевских фрейлин. Джон Ло убил своего противника, был арестован и приговорен к смертной казни. Шотландец сумел спастись, спрыгнув в воду из тюремной башни, повредил ногу, но скрылся от погони. Перебравшись на материк, Джон Ло вновь ринулся на поиски фортуны. Он зарабатывал на жизнь в игорных домах Амстердама, Брюсселя, Женевы, но при этом написал две занимательные книги о финансах и торговле. В конце концов Ло оказался в Париже. В этом городе он сыграл свою самую великую игру.

Джон Ло

Франция в ту пору пребывала в плачевном состоянии. В наследство от умершего Людовика XIV достались сотни грандиозных дворцов, воспоминания о роскошных балах и полностью разрушенное хозяйство. Личный долг покойного монарха превышал 2 млрд. ливров, национальная валюта обесценилась: содержание серебра в ливре за время правления «короля-солнца» уменьшилось в шесть раз. Несколько раз ради пополнения казны приходилось отправлять в переплавку золотую и серебряную утварь из Версаля. Но звонкой монеты в стране катастрофически не хватало, так что во многих провинциях вернулись к натуральному обмену.

Корону унаследовал пятилетний Людовик XV, а регентом королевства стал дядя малыша герцог Филипп Орлеанский — человек крайне расточительный, легкомысленный и распутный. Именно в то время одна из фавориток регента привела во дворец обаятельного шотландского «специалиста по финансам». Джон Ло поведал герцогу Орлеанскому, что существует реальная возможность делать золото из бумаги: печатать на ней денежные знаки. Красноречивый эдинбуржец доказывал, что эмиссия бумажных денег может легко восполнить дефицит металлической монеты, а дешевый кредит, сам по себе обеспечивая циркуляцию денег и товаров, приведет страну к благоденствию. Ло даже сравнивал учреждение банков и развитие кредита с открытием Америки. Такая аналогия не могла не убедить регента, и в мае 1716 года был издан королевский указ об учреждении первого французского акционерного банка. Директором его стал Жан Ла — так на французский лад звучало имя нового финансиста королевства.

«Банк Женераль», детище Джона Ло, ожидал необычайный успех. Шотландец открыл широкий кредит частным предпринимателям и приобрел общественное доверие, выдав акционерам за первое полугодие 7-процентные дивиденды. Однако этот азартный игрок не был бы самим собой, если бы ограничился ролью банкира. В его беспокойном мозгу зародился новый проект, суливший неизмеримо большие доходы. В 1717 году под патронатом Джона Ло была организована «Западная компания» с основным капиталом в 100 млн. ливров. Цель провозгласили заманчивую: освоение бассейна величайшей реки Северной Америки.

Многие желали выгодно поместить свои капиталы — акции «Компании Миссисипи», как ее стали называть, подорожали уже при подписке. Учреждение Ло поглотило несколько влачивших жалкое существование французских колониальных компаний и стало всемогущей монополией с правами генерального откупщика.

Карл Маркс в свое время относил Джона Ло к основоположникам кредитно-финансовой системы, но саркастически отметил его «приятный характер помеси мошенника и пророка». Джон Ло предвосхитил будущее тем, что начал сочетать реальное дело с искусной рекламой: в Париже печатались истории о сказочно богатом американском крае, где полудикие наивные аборигены с восторгом встречают французов и несут золото, жемчуг и драгоценные камни в обмен на безделушки. В устах Ло и под пером его помощников несколько десятков старых судов компании превратились в огромные флоты, готовые доставить для Франции пряности и табак, серебро и шелк.

Акции Ло росли как на дрожжах: биржа на улице Кенкампуа, принадлежавшая «Компании Миссисипи», превратилась в мощный магнит, который притягивал французов, желавших быстро разбогатеть. В начале 1718 года бумаги номиналом в 500 ливров продавали вдесятеро дороже, но желающих приобрести их становилось все больше. Попасть на прием к Джону Ло стало трудней, чем к регенту Франции. Графы и миледи безуспешно выстаивали многочасовые очереди в его приемной. Секретарь президента компании стал любимцем дам высшего круга и в считанные дни нажил целое состояние на взятках, которые он брал за визит к монсиньору Ла.

Всемогущий финансист с большой энергией и размахом вел и расширял дела компании. Ло начал колонизацию низовий Миссисипи, где весной 1718 года заложили «город компании», назвав его Новым Орлеаном, в честь регента Филиппа Орлеанского. Американский проект вошел в моду: богачи и вельможи домогались герцогств, маркизатов и баронств в Новом Свете и набирали колонистов для заселения и возделывания купленных ими земель. Пример вновь подал сам Джон Ло, получивший от регента титул герцога Арканзасского.

Держатели акций «Компании Миссисипи» жаждали не меньшего успеха, чем конкистадоры в Латинской Америке. Поскольку желавших ехать за море было немного, правительство по просьбе компании начало ссылать в Новый Свет воров и бродяг из тюрем и исправительных домов. Но женщин в Луизиане катастрофически не хватало. «Белые мужчины, — жаловался в донесении губернатор Бьенвиль, — гоняются по лесам за индианками».

Джону Ло и «Компании Миссисипи» оказался под стать современник-историограф: Антуан Франсуа Прево д'Экзиль, беглый монах, солдат удачи, иезуитский проповедник, ставший протестантом, сидевший в тюрьмах Парижа и Лондона. Сходство аббата с банкиром Ло подчеркивает дуэль со смертельным исходом, из-за которой Прево бежал за границу. Аббат-расстрига написал и перевел множество громоздких скучных трактатов, но обрел славу благодаря небольшой трогательной повести о любви. В одной партии из сосланных в 1719 году в Луизиану он нашел своих Манон Леско и кавалера де Грие.

Легенда утверждает, что немало грешивший аббат Прево искренне полюбил девушку «из дурного общества», которую взамен тюремного заключения должны были отправить на берега Миссисипи. В Луизиане такие «невесты» доставались поселенцам по жребию. Будущий писатель решил следовать за своей Манон хоть на край света. Впоследствии кавалер де Грие по воле автора проделал весь этот путь и так передал свои чувства: «Но вообразите себе бедную мою возлюбленную, прикованную цепями вокруг пояса, сидящую на соломенной подстилке, в томлении прислонившись головою к стенке повозки, с лицом бледным и омоченным слезами...». Случилось так, что по дороге к морю аббат подхватил лихорадку и слег. Партия арестанток прибыла в Ла-Рошель, там их погрузили на корабль, и Прево навсегда расстался со своей любимой.

Тем временем «Лихорадка Миссисипи» охватила не только Париж. Она проникла в провинции и даже за границу, откуда съезжались десятки тысяч ходоков, дабы купить на знаменитой улице Кенканпуа «золотые» бумажки. В результате спекулятивной горячки цена 500-ливровой акции составляла 25 тысяч ливров! В том броуновском движении бумаг за считанные часы составлялись целые состояния, а в течение нескольких недель — немыслимые капиталы. Тогда же росло и крепло тиражирование банковских билетов «от Джона Ло», которые принимались в уплату за американские акции. По-французски они стали называться *купюрами*.

Восхищенный герцог Орлеанский решил лично возглавить прибыльную финансовую структуру и в декабре 1718 года издал указ о преобразовании «Банка Женераль» в Королевский, т.е. официальный банк французского правительства. Естественно, главным управляющим остался славный фаворит регента, полу-

Денежная лихорадка в Париже

чивший должность королевского контролера финансов. Избрали Ло и действительным членом Французской Академии наук. Родной город Эдинбург преподнес ему почетное гражданство, а в присланной грамоте говорилось, что он «достиг в мире такой знаменитости, которая делает честь не только городу, но всей шотландской нации».

Развивая идею, Джон Ло придумал торговлю опционами, то есть не самими акциями, а правом на покупку или продажу акций через определенное время. В Париже на улицах, рынках, площадях — на каждом углу только и делали, что приобретали и сбывали американские бумаги. Оргия обогащения соединяла все сословия, которые нигде больше, даже в церкви, не смешивались. Знатная дама толкалась рядом с куртизанкой, герцог торговался с поденщиком, прелат мусолил пальцы, рассчитываясь с разбитной хозяйкой трактира. В расчетах за акции золото и серебро принимали неохотно. В разгар бума 10 акций равнялись по цене 14 или 15 центнерам серебра! Это походило на соревнование, кто быстрее избавится от презренного металла.

Современники описывали, как лакеи, приехавшие в банк в понедельник на запятках карет своих господ, в субботу возвращались, восседая в них и небрежно развалившись на бархатных подушках. Рассыльный, чистивший сапоги, выиграл на спекуляциях 40 миллионов ливров и пожелал купить придворную должность. Торговка Шомон, которую привела в Париж тяжба, заработала за несколько недель 200 миллионов и купила дворец канцлера Бошера. Именно тогда новоявленных богатеев-биржевых спекулянтов потомственные аристократы стали презрительно именовать *миллионерами*.

Франция в одно мгновение из нищего и полуразрушенного королевства превратилась в страну неограниченных возможностей. Париж купался в деньгах, Королевский банк инвестировал значительные суммы в торговлю и мануфактуры, а в Версале возобновились грандиозные балы и приемы. Пушкин в «Арапе Петра Великого» дал ироничную характеристику эпохе Регентства: *«...алчность к деньгам соединилась с жаждою наслаждений и рассеянности; имения исчезали; нравственность гибла; французы смеялись и рассчитывали, и государство распадалось под игривые припевы сатирических водевилей»*.

Справедливости ради надо отметить, что через сто с лишним лет на американском Западе действительно отыщут несметные природные богатства. Но до этого времени как Америке, так и Франции суждено будет пережить революции, разрушительные войны и множественные перекройки границ. Поначалу же столица Луизианы выглядела весьма неприглядно, что нашло отражение в «Манон Леско»: «Мы двинулись... к Новому Орлеану; но, подойдя к нему, были поражены, увидав вместо ожидаемого города, который нам так расхваливали, жалкий поселок из убогих хижин. Население составляло человек пятьсот-шестьсот. Губернаторский дом выделялся немного своей высотой и распо-

На улицах Нового Орлеана

ложением. Он был защищен земляными укреплениями, вокруг которых тянулся широкий ров». Эксперты в Европе утверждали, что Новый Орлеан обречен из-за дурного климата луизианских болот и неизбежных наводнений на Миссисипи. Спустя три столетия ураган «Катрина», снесший городские плотины, отчасти подтвердил эти мрачные прогнозы.

В ответ скептикам Ло выписал шесть тысяч немецких крестьян с верховий Рейна и переселил их за собственный счет на берега американской реки. Здесь стали возникать плантации, на которых выращивали индиго, табак и рис. А в Париже начали хватать всех, не имевших определенных занятий. Известен случай, когда слуга, оказавшийся без места на четыре дня, был схвачен в качестве бродяги и сослан в Луизиану. Ремесленники должны были возобновлять свидетельства своим подмастерьям и ученикам каждые две недели, ибо взятого с просроченным свидетельством могли отправить за океан. Агентами Миссисипи стали пугать маленьких детей.

Биограф шотландца Джон Хорн писал: «Компания не скупилась и на интересные зрелища. Так, например, были привезены с берегов Миссури десять дикарей и одна дикарка. Первые показывали перед королем и двором свою ловкость на охоте в Булонском лесу; перед парижанами они исполняли национальные танцы в итальянском театре. Дама, которую они сопровождали, была королева из царственной семьи, именовавшейся «поколением солнца». Напали на мысль выдать ее замуж во Франции, чтобы между дикарями основать французское вассальное государство. Королева была молода, обладала пикантной фигурой, и в женихах не было недостатка. Выбор ее пал на статного гвардейского капрала Дюбуа. Крещение «дочери солнца» и ее бракосочетание были отпразднованы с большим торжеством в соборе Нотр-Дам. Но едва Дюбуа I, король Миссури, успел прибыть в свои владения, как у его дикой супруги снова превозмогли природные инстинкты; Дюбуа был убит и, быть может, съеден при Миссурийском дворе... Не был ли этот быстрый переход от трона к вертелу верным подобием судьбы Миссисипской игры, которая после полноты временного блеска должна была вскоре перейти к полноте беспредельного уныния?»

«Пузырь Миссисипи» лопнул в 1720 году. Все увеличивающееся количество миллионеров стало настораживать наиболее дальновидных финансистов и вообще прозорливых людей, которые предпочли на всякий случай избавляться от акций и банкнот. В один из февральских дней к Королевскому банку подъехало несколько богатых экипажей, и вскоре на пороге появился сам герцог Бурбонский. Он выложил на конторку увесистую пачку акций и попросил обменять их по существующему на этот день курсу. В просьбе члену королевского дома отказать не смогли. Свои миллионы золотом и серебром герцог увозил в нескольких каретах. Держатели акций начали волноваться. Чтобы успокоить публику, правительство наняло сотни нищих, которые промаршировали по улицам Парижа с лопатами на плечах, якобы отправляясь в Луизиану на добычу золота. Через несколько дней нищих стали замечать на привычных местах.

Смятение в рядах акционеров быстро переросло в панику. Париж опять обезумел, но теперь все оказались объяты жаждой продать, и продать как можно скорее. Десятки человек были затоптаны насмерть во время столпотворения вкладчиков перед входом в Королевский Банк. Остановить падение акций и банкнот Ло был не в состоянии, хотя в отчаянии решался на все: обыски и конфискации у спекулянтов, запрещение платежей звонкой монетой, прекращение выпусков билетов и так далее. По ночам в окрестностях Парижа чиновники жгли огромные костры из конфискованных ассигнаций.

Даже в минуту, когда Джон Ло приблизился к окончательному краху, он все же хранил затаенную мечту спасти любимое детище — «Компанию Миссисипи». По указу Ло за океан был отправлен королевский инженер Адриан де Поже для реализации первого плана развития столицы Луизианы. Главные улицы Нового Орлеана и по сей день носят имена французских святых и членов королевского дома. Впрочем, все это мало помогло герцогу Арканзасскому.

К концу 1720 года ценные бумаги Ло превратились в макулатуру, уличные торговцы неохотно брали за пирожок сотни бумажных ливров. В Париже взлетели цены на все мало-мальски стоящие вещи, начались перебои с продовольствием. А с ноября купюры объявили вне закона. Десятки тысяч инвесторов компании и вкладчиков Королевского банка, еще недавно считавших себя богачами, прогорели дотла. По Франции прокатилась волна самоубийств, а затем начались массовые беспорядки. Парламент потребовал вздернуть королевского контролера финансов, или, на худой конец, бросить его в Бастилию.

Не дожидаясь худшего, Ло сбежал в Венецию. Королевский банк закрылся, правительство Франции было вынуждено признать государственное банкротство. Все имущество шотландца конфисковали в пользу погашения убытков. Обнищавшему Джону Ло пришлось вновь зарабатывать на жизнь картежным промыслом.

В 1721 году венецианского изгнанника посетил таинственный незнакомец, представившийся савойским дворянином. Он предъявил верительные грамоты и от имени российского правительства официально пригласил Ло поступить на русскую службу. Приглашение и гарантии солидного денежного содержания исходили от самого Петра I.

С русским государем шотландец был знаком, они встречались в 1717 году, когда Петр I, будучи в Париже, посетил «Банк Женераль». Россия еще не знала бумажных денег, и государь живо интересовался устройством и системой работы учреждения Ло. Бывший директор королевского банка не принял предложение Петра. Беглый финансист надеялся, что его вновь позовут в Париж или Лондон. Но через несколько лет герцога Арканзасского подстерегла коварная пневмония, столь частая в сырой Венеции. Его громкий титул умер вместе с ним.

После краха Джона Ло у французов развилась стойкая неприязнь к названиям Миссисипи и Луизиана. Опасное слово «банк» исчезло из французского языка, а финансовые учреждения с тех пор стали именоваться «кредитными обществами». Наполеон в 1803 году без сожаления продал Луизиану правительству США. Новый Орлеан, основанный беспокойным духом мечтателя и прожектера, оказался достоин лучших качеств своего создателя. Из крохотного поселения, когда-то описанного Прево, Новый Орлеан превратился в один из самых колоритных городов Северной Америки. На бескрайних просторах бывшей французской Луизианы со временем возникли восемь американских штатов. Обширное графство Арканзас — несбывшаяся мечта Джона Ло — сначала существовало в составе федеральной территории Миссури, а в 1836 году Арканзас стал полноправным, 25-м штатом страны.

Хроника XVIII столетия

1701 — в колонии Коннектикут основан Йельский университет.

1706 — в многодетной семье бостонского мыловара родился Бенджамин Франклин

1721 — в Филадельфии возникла первая американская страховая компания.

1730 — механик Томас Годфри изобрел секстант — важнейший прибор морской навигации.

1732 — появился первый коммерческий дилижанс (Нью-Джерси).

1732 — в семье владельца табачной плантации в Вирджинии родился Джордж Вашингтон.

1746 — в колонии Нью-Джерси основан Принстонский университет.

1752 — календарная реформа в британских колониях: переход с юлианского календаря на григорианский.

ИНСТРУКЦИЯ ЦАРЯ ПЕТРА

Витусу Берингу не везло ни при жизни, ни после. Два с половиной столетия в российских исторических книгах под именем Беринга публиковался портрет круглолицего плотного человека, который на самом деле был однофамильцем командора. История двух экспедиций Беринга полна ошибок и трагических случайностей. Его посмертная слава связана с признанием заслуг мореплавателя не в России, а в первую очередь на Западе.

Витус Йонесс Беринг родился в 1680 году в Ютландии. Его отец служил таможенником в портовом городе Хорсенс. Юношей Витус дважды плавал к берегам Индии на голландских кораблях. В 1703 году в Амстердаме он познакомился с адмиралом Крюйсом, который по поручению Петра I нанимал в русский флот опытных моряков. Витуса Беринга на Руси прозвали Иваном Ивановичем. В 1707 году он был произведен в лейтенанты, участвовал в Азовском походе Петра, затем сражался на Балтике.

Мир, в котором жил датчанин Иван Иванович изобиловал морскими загадками и чудесами. Никто, включая самого императора Петра Великого, не знал точных границ и размеров Российской империи. О ее восточных землях ходили самые невероятные истории. На многих старых картах Америка и Азия представляли собой единый материк. На других картах северной акватории Тихого океана между Азией и Америкой красовалась мифическая «Земля Жуана-да-Гамы», полная невиданных сокровищ.

Первая треть русского «осьмнадцатого столетия» — время удивительных прожектов. Царь Петр одно время всерьез рассматривал возможность колонизации Мадагаскара. Майора Абрама Ганнибала, прадеда Пушкина, отправили в противоположном направлении «с предписанием измерить Китайскую стену». Вопрос об открытии Америки «с другой стороны» считался в Санкт-Петербурге делом насущным и неотложным.

23 декабря 1724 г. Петр I собственноручно начертал секретную «Инструкцыю» из трех пунктов для начальника экспедиции капитана Витуса Беринга:

> *«1. Надлежит на Камчатке или в другом тамож месте зделать один или два бота с палубами.*
> *2. На оных ботах возле земли, которая идет на норд и по чаянии (понеже оной конца не знают), кажется та земля часть Америки.*
> *3. И для того искать, где оная сошлась с Америкою…»*

Уже после смерти царя Петра, в первых числах февраля 1725 года Беринг вместе со своим помощником лейтенантом Алексеем Чириковым отправился в путь. Месяц за месяцем тянулись «версты немереные»: Тотьма, Устюг, Тобольск… Приходилось тащить с собой на санях и нартах огромную кладь: чтобы построить и снарядить судно, почти все нужно было везти из Европы. На следующий год зимовка в Илимске. «Идучи путем, — писал Беринг в одном из своих донесений в Сенат, — оголодала вся команда, и от великого голоду ели лошадиное мертвое мясо, сумы сыромятные и всякие сырые кожи, платье и обувь кожаные».

До камчатского берега из двухсот первоначальных участников экспедиции дошли восемьдесят — кто умер, кто сбежал. В Санкт-Петербурге тем временем скончалась императрица Екатерина I, на престол взошел малолетний Петр II, угодил в опалу и был сослан всесильный Меньшиков — а Беринг со спутниками, представления не имея обо всех этих событиях, упрямо шел к неведомой Америке. Только на третий год по отправлении из столицы, он наконец прибыл в Охотск, откуда должно было начаться настоящее путешествие.

Летом 1727 года капитан Беринг вступил на мостик свежепостроенного парусника «Фортуна». Корабль не оправдал названия — едва перейдя Охотское море, «Фортуна» дала течь. Парусник пришлось бросить, и на собачьих упряжках с тысячепудовым грузом пройти восемьсот верст до Нижнего Камчадальского острога, стоящего уже прямо на берегу Тихого океана. Перезимовав, Беринг заложил шлюп «Святой Гавриил», памятуя, что на корабле имени того же архангела Васко да Гама открыл морской путь в Индию.

13 июля 1728 года капитан вновь отдал приказ идти «встречь солнцу». Хождение в неизведанных широтах продолжалось более месяца. Океан встретил «Колумбов Росских» жестокими штормами, шквальный ветер рвал паруса. Через пролив (ныне Берингов) капитан вышел в Ледовитый океан. Из-за густого «тумана с мокротью» Витус Беринг так и не увидел желанных берегов Нового Света (хотя ширина пролива всего шестьдесят миль). Достигнув широты 67° 18′ и с согласия других членов экспедиции, боявшихся «попасть нечаянно во льды», капитан распорядился идти обратно, посчитав, что инструкция Петра выполнена и что «нельзя Азии соединяться с Америкою».

Возвращение в столицу было не менее тяжелым. За время долгого пути сам Беринг тяжело болел, умер его сын. По прибытии в Санкт-Петербург моряк узнал, что стал верным подданным четвертой на его веку монаршей особы — племянницы Петра Анны Иоанновны. Дороги капитана Беринга оказались длиннее российских царствований.

Адмиралтейств-коллегия и Сенат посчитали сомнительными итоги первой русской морской научной экспедиции. Несмотря на представленные Берингом и Чириковым подробные карты и описания камчатских земель, главный «петровский» вопрос о местонахождении Америки остался открытым. В суровые времена Анны Иоанновны Беринг мог ожидать как награды за труды, так и опалы.

Весной 1732 года Сенат издал указ: «построить суда и идтить для проведывания новых земель, лежащих между Америкой и Камчаткою». Командование второй «Камчацкой» экспедицией (так ее официально именовали) в чине капитан-командора поручалось Берингу; его помощником остался «капитан полковничьего ранга» Алексей Чириков. Одной из секретных задач, поставленных перед ними было найти и «привести в подданство» Российской империи легендарную «Землю Жуана-да-Гамы».

В 1733 году из Санкт-Петербурга по последнему санному пути вновь потянулись обозы с якорями, парусами и пушками. Тысячи верст через Европу и Азию (Якутск — только середина пути, где Беринг три года строил железоделательный завод, организовал канатную мастерскую, наладил изготовление такелажа). В экспедиции были задействованы полторы тысячи ссыльных. Поначалу, невзирая на две сотни конвойных солдат, ссыльные бежали из отряда. Дабы пресечь дезертирство командор решил-

Реконструированный облик В.Беринга

ся на жестокие меры: вдоль берегов Лены через каждые двадцать верст ставили виселицы. После этого побеги прекратились.

Осенью 1740 года два новых пакебота, «Святой Петр» и «Святой Павел», вышли из Охотска к восточному побережью Камчатки. Для зимовки Беринг заложил здесь поселение, с которого начала свою историю столица края — порт Петропавловск (названный в честь судов экспедиции).

4 июня 1741 года — в год, когда Берингу исполнялось уже 60 лет — оба корабля покинули Петропавловск-Камчатский и отправились на поиски Америки. Их курс поначалу лежал на юго-восток, где, судя по некоторым старым картам, находилась таинственная «Земля Жуана-да-Гамы».

Как выяснилось позднее, бесплодные розыски мифической земли стоили жизни многим членам экспедиции и самому командиру. Вынужденный следовать высочайшим инструкциям, Витус Беринг растратил драгоценное летнее время, столь короткое для плавания в северных широтах. В конечном итоге оба судна в густом тумане потеряли друг друга. Три дня Беринг на «Святом Петре» искал пакебот Чирикова, корабельная пушка безрезультатно сотрясала промозглую морскую тьму. Двум капитанам не довелось более увидеться.

Недели сменялись неделями, а командорский корабль по-прежнему оставался один на один с неведомым ревущим океаном. Страшная цинга избрала морехода своей первой жертвой, но усилием воли каждое утро бледный, худой капитан появлялся на палубе, поддерживая веру в счастливый исход у членов экипажа.

После полудня 16 июля 1741 года на горизонте появились огромные заснеженные горы. Ниже темнел лес. Сомнений не было, северо-западные берега Америки достигнуты. Но радости на лице командора никто не увидел. Его тяготила судьба пропавшего корабля Чирикова, упущенное в поисках «острова сокровищ» время и перспектива не менее трудного возвращения в условиях надвигавшегося голода и цинги. Беринг даже не спустился на берег Аляски. Потративший годы жизни на поиски Земли Американской, он дал своим людям всего десять часов на пополнение пресной воды и прибрежные исследования.

Никто не предполагал, каким окажется путь до Петропавловска. Двигаясь на запад, Берингу удалось открыть и нанести на карту цепь Алеутских островов. Но бесконечная штормовая погода временами уже переходила в ураган, когда снасти рвались словно нитки. Команду терзали недоедание и болезни. Люди пили воду, стекавшую с парусов. Сам командор вскоре упал и более не поднимался с постели. У руля пакетбота в иные дни было некому стоять и он плыл в океане «как кусок мертвого дерева».

В начале ноября наконец увидели желанную землю. Моряки надеялись, что достигли берегов Камчатки. На самом же деле это был лишь один из островов необитаемого безымянного архипелага. С трудом подойдя к берегу, «Святой Петр» бросил якорь, но под напором ветра канат лопнул. Сломало руль. Их спасло чудо: неуправляемый корабль прошел среди скал и беспомощно приткнулся к берегу.

Воспользовавшись передышкой, матросы из числа способных стоять на ногах, переправили на берег больных и остатки снаряжения. Зимовать пришлось в земляных норах, покрытых рваной парусиной. Море выбросило на берег останки кита, мясом которого питались всю зиму. Тридцать человек из команды нашли здесь свою смерть. Сам командор лежал в темной, наспех вырытой землянке, полузасыпанный песком (он говорил, что так ему теплее). 8 декабря 1741 года Витус Беринг скончался. Подобно другим великим мореплавателям Ф. Магеллану и Дж. Куку, он не закончил свое главное путешествие. Впоследствии этот остров, открытый командором и ставший его последним пристанищем, назовут островом Беринга, а весь архипелаг — Командорскими островами.

Летом 1742 года выжившие члены экипажа построили из частей разбитого бурей «Святого Петра» крошечное суденышко с одним парусом и в страшной тесноте, налегая на весла, добрались до камчатского берега. Словно с того света, давно похороненный и уже чуть позабытый, к причалам Петропавловска подходил кораблик с остатками экспедиции Беринга. Мгновенно разлетевшаяся по поселку новость собрала на пристани всех его жителей. Оцепенев от ужаса, они молча смотрели на приближавшийся призрак: плохоструганный бот с рваным парусом и косматыми истерзанными людьми, ронявшими слезы.

Одиссея «Святого Павла» под командованием Алексея Чирикова оказалась чуть более счастливой. Они достигли аляскинского берега на день раньше Беринга, став, таким образом, первыми европейцами, побывавшими в этой части Северной Америки. На разведку отправили шлюпку с дюжиной вооруженных матросов. До темноты шлюпка не вернулась. Море было спокойно, берег пустынен. Ни криков, ни выстрелов на «Святом Павле» не услышали. На следующее утро капитан отправил вторую (и последнюю на корабле) шлюпку, которую ожидала та же участь. Через день появились на своих лодках местные индейцы-алеуты, издававшие воинственные крики.

Больше Чириков не пытался высаживаться на американский берег. Кончалась провизия и вода, и пакебот поспешил к родным берегам. На корабле свирепствовала цинга. Сам капитан слег и продолжал вести журнал и отдавать приказы не поднимаясь с койки. В один из дней состояние Чирикова настолько ухудшилось, что его исповедали.

Исхлестанный штормами «Святой Павел» достиг камчатских берегов, потеряв треть экипажа. Корабль прошел всего в нескольких километрах от острова Беринга, на котором ютились моряки погибшего «Святого Петра», но они не увидели друг друга сквозь плотный саван тумана.

За две недели до трагической кончины Беринга, в ночь на 25 ноября 1741 года гренадерская рота Преображенского полка вновь переменила в Петербурге власть. На престоле — младшая дочь Петра Елизавета. Современники не раз отмечали, что географические познания императрицы оставляли желать лучшего. До конца жизни Елизавета Петровна так и не поверила, что Англия — это остров, а для коронации своей затребовала с Камчатки полдюжины «пригожих благородных девиц». Царицын штабс-курьер Шахтуров в великой спешке дважды пересек всю Россию, но опоздал на коронацию на четыре года. Причем все девицы за время путешествия успели родить.

Алексей Ильич Чириков, добравшись до Петербурга, представил в Адмиралтейств-коллегию подробный отчет о научных результатах многолетней экспедиции, включая журнал, карты и бумаги Беринга. Здоровье капитана было подорвано и несмотря на позднюю малообременительную службу, Чириков быстро ушел из жизни. В архивах Сената сохранилось письмо его детей с жалобами на бедственное материальное положение и просьбой не взыскивать долги отца с его семьи.

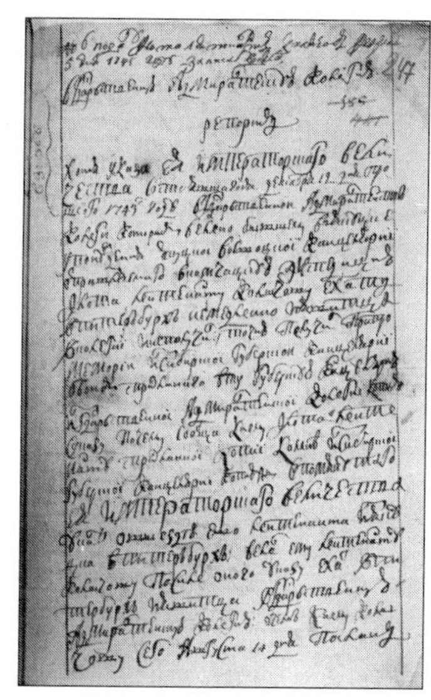

Один из рапортов А. Чирикова

Материалы двух экспедиций Беринга-Чирикова поначалу не были востребованы в России. На Западе же снятыми с «секретных» командорских карт копиями пользовались вовсю. Первым из путешественников, подтвердившим обширность и научную точность географических исследований Беринга, стал знаменитый английский мореплаватель Джеймс Кук. Именно он предложил в конце XVIII века назвать пролив, отделяющий Азию от Америки именем Беринга. Сегодня по Берингову проливу проходит государственная граница России и Соединенных Штатов.

Только в конце XX столетия датские ученые-историки установили, что канонизированный портрет Витуса Беринга, помещенный во все учебники и энциклопедии, не отражает истины. На портрете изображен тучный придворный поэт Витус Педерсен Беринг, дядя командора, не имевший к флоту никакого отношения. В 1991 году стараниями международной экспедиции была обнаружена могила командора на острове Беринга и по найденному черепу восстановлен примерный облик мореплавателя. Стоит отметить, что датский город Хорсенс, подаривший России великого исследователя, еще раз промелькнет в русской истории XVIII столетия. Сюда отправят доживать свой век свергнутое Елизаветой брауншвейгское семейство — отца, братьев и сестер малолетнего царя Иоанна Антоновича, заколотого в Шлиссельбурге.

Через полвека после «русского открытия Америки» туда направились первые сибирские промысловые партии, указом Павла I будет организована Российско-Американская компания и на сто пятьдесят лет Аляска станет русской.

Хроника XVIII столетия

1763 — Парижский (Версальский) мирный договор завершил Семилетнюю войну между крупнейшими европейскими державами. В Северной Америке Великобритания добавила к своим колониям французскую Канаду и испанскую Флориду.

1765 — Британский парламент принял так называемый «Гербовый акт». Любая коммерческая операция в американских колониях отныне требовала покупки специальных марок, приносящих доход королевской казне. Новый налог вызвал бурные протесты в портовых городах Америки и бойкот английских товаров.

1770 — в центре Бостона мятежная толпа забросала английских солдат камнями, вызвав ответные выстрелы. Пятеро горожан было убито, одиннадцать ранено, что привело к усилению антибританских настроений в колониях.

1773 — бостонцы, протестуя против английской налоговой политики, выбросили с трех британских торговых кораблей груз чая. «Бостонское чаепитие» считается прологом Американской революции.

О ПОЛЬЗЕ АНЕКДОТА

То слово из Прошлого ветер ночной
Разносит над нашей большою страной…

Г. У. Лонгфелло

Современное значение анекдота как забавной истории несколько искажено временем. В своей первоначальной сути анекдот предполагал некий апокриф из жизни известного лица или фольклорного героя (у Пушкина «Дней минувших анекдоты/От Ромула до наших дней»).

Исторический миф — своего рода драгоценная пряность, добавленная в хронологическую закваску. Без этой приправы анналы, летописи и регесты выглядят бескровными. В Стратфорде-на-Эйвоне, родном городе Шекспира, сохраняется отчий дом пастора Джона Гарварда, соседа великого драматурга и его младшего современника, имя которого навсегда связано с Америкой. При этом бронзовый монумент пастору в Гарвардском университете прозвали «Памятником трех неправд». На постаменте выбиты слова: «Джон Гарвард, основатель, 1638». Но земляк Шекспира, скончавшийся от туберкулеза вскоре после переезда в Массачусетс, не был основателем старейшего университета Америки. Он завещал «Новому колледжу» большую сумму денег и личную библиотеку, за что и был увековечен в названии учебного заведения. На постаменте выбита дата переименования колледжа, который был основан двумя годами ранее. Наконец, никто не знал, как выглядел преподобный Джон Гарвард, и через двести с

Памятник Джону Гарварду

лишним лет скульптор просто запечатлел одного из студентов — внука ректора университета.

Другой американский герой, «курьер революции» Пол Ревир, занимает в американском общественном сознании примерно такое же место, как Иван Сусанин в сознании русских. То, что произошло в деревне Деревеньки в 70 верстах от Костромы и в сонном Лексингтоне в окрестностях Бостона разделяют километры и столетия. Впрочем, это не мешает мифам питать национальную гордость.

Весной 1613 года некий подозрительный («ляхи с литвинами») отряд рыскал под Костромой в поисках спрятавшегося нового московского царя Михаила Федоровича Романова, чтобы не допустить его коронации. Дальнейшее развитие истории с крестьянином-проводником Иваном Сусаниным мы знаем, главным образом, по знаменитой опере Глинки.

Бостонский ремесленник Пол Ревир, узнав, что британцы готовятся на рассвете 19 апреля 1775 года атаковать американских повстанцев, промчался накануне ночью на коне через все заставы и успел предупредить о готовящемся нападении. Ранним утром ополченцы-янки встретили англичан во всеоружии. Знакомая сегодня каждому американскому школьнику поэма Лонгфелло открывается наказом:

Запомните, дети, слышал весь мир,
Как в полночь глухую скакал Пол Ревир…

Истории, случившиеся в старину в Московии и Массачусетсе, имеют определенную схожесть. Несмотря на сказочный антураж, Иван и Пол — реальные лица. Мордвин (или вепс) Сусанин в самом деле жил под вепсской Костромой в селе Домнино — или же в соседнем селе Деревеньки. Пол Аполло Ревир (*Revere*) также не принадлежал к «титульной» (англо-саксонской) нации, а был выходцем из французской гугенотской семьи Ревуаров.

В основе патриотической мифологии лежит глубокий социальный архетип. Простой русский крестьянин уберег будущую династию Романовых, отведя угрозу от их венценосного прародителя. Простолюдин Пол Ревир оказался первым в обширном пантеоне героев Войны за независимость США. Но, судя по старинным документам, Иван Сусанин был не просто лапотным мужиком, а вотчинным старостой в родовом имении матери царя. А многодетный бостонец Ревир считался искусным и уважаемым литейщиком и мастером серебряных дел (его чайные сервизы представлены в экспозициях лучших американских художественных музеев).

В качестве бесспорных героев Отечества Сусанин и Ревир оказались непременными персонажами учебников по истории, художественных произведений и фольклора. Канон оформился во второй трети XIX столетия. Опера М. И. Глинки «Жизнь за царя» (1836) зафиксировала окончательный вариант «вождения» Сусаниным поляков по болотам или (в другом варианте) костромским чащам. Американский классик Генри Лонгфелло создал «Скачку Пола Ревира» в 1861 году:

Еще деревушка спокойно спит.
Но в лунном свете промчалась тень,
Да искру метнул дорожный кремень
У скачущей лошади из-под копыт,
И под подковой звенит тропа.
Сейчас народа решится судьба.
Та искра, что высек подковою конь,
Повсюду зажгла восстанья огонь.

История Ивана Сусанина как-то особенно притягивала обрусевших иностранцев. Глинка работал с либретто остзейского немца барона Г. фон Розена. Итальянский композитор К. А. Кавос, долгие годы живший в России, создал собственное произведение на тот же героический сюжет. Обе оперы, не мешая друг другу, ставились на одной сцене петербургского Большого театра. Некоторые актеры исполняли одни и те же партии в разных постановках. Творение Кавоса «Иван Суссанин» (так в оригинале — *Л. С.*) имело подзаголовок «Анекдотическая опера». В ней Сусанин оставался жив — сюжет вполне смахивающий на голливудский.

Старинный исторический раздор русских с поляками и американцев с англичанами также имеет много схожего. И в том, и в другом случае «братья по крови» захватывали и жгли столицы — поляки хозяйничали в Кремле, а британцы спалили Белый дом с Капитолием. Поправка на время составляет ровно двести лет.

Профессор истории Петербургского университета Н. И. Костомаров еще в 1862 году язвительно назвал версию подвига Ивана Сусанина «*анекдотом*», который «сделался более или менее общепризнанным фактом». Он писал: «Действительность, передаваемая в скудных известиях, украшается выдуманными подробностями; к событиям, на самом деле происходившим, прилагаются вымышленные, но тем не менее возможные в ходе жизни, и тогда историческая личность, сама по себе темная, светлеет и делается как будто бы типом стремлений известной эпохи, а в самом деле выражением того, что давней эпохе, хочет дать новое время».

Другой видный историк, С. М. Соловьев, не оспаривал гибель Сусанина, но считал, что его замучили «не поляки и не литовцы, а казаки или вообще свои разбойники», коих в Смутное время бродило по Руси немало. Он же после кропотливого изучения архивов доказал, что никаких регулярных войск интервентов в тот период поблизости от Костромы не было, а сам молодой царь с матерью находился в хорошо укрепленном Ипатьевском монастыре.

В советской России «Жизнь за царя» поначалу не исполнялась. Сусанина объявили прислужником романовского самодержавия, а память о нем подлежала искоренению. Впрочем, новой власти тоже понадобился патриот и герой. Поначалу пытались полностью изменить сюжет оперы Глинки и приспособить его к обстоятельствам времени. Музыковед Л. Л. Сабанеев писал: «Первая редакция была — перенесение времени действия в эпоху большевистской революции. В соответствии с этим Иван Сусанин обратился в «предсельсовета» — в передового крестьянина, стоящего за советскую родину. Ваня обращен был в комсомольца. Поляки остались на месте потому, что в это время как раз была война с Польшей, где выдвинулся Тухачевский». Знаменитый финальный гимн оперы был перефразирован: «Славься, славься, советский строй!»

Американцы избежали радикальной переоценки своих ценностей. Хотя дотошные историки раскопали, что Пол Ревир никак не мог завершить свой ночной рейд, ибо был задержан английским патрулем в таверне близ Конкорда. К тому же британцы конфисковали его мобильное средство связи — гнедую лошадь по кличке *Brown Beauty*, взятую напрокат у местного фермера. Настоящим героем следует считать совсем другого человека, Уильяма Доуса (*W. Dawes*), который таки смог добраться до Лексингтона и предупредить вождей американской революции. Но бостонский дубильщик Уильям Доус не попал в балладу Лонгфелло и в школьные хрестоматии.

Все сказанное, разумеется, не зачеркивает ни красивых легенд, ни художественных достоинств русской оперы или американской поэмы. Исторические мифы благополучно выжили и перебрались в динамичную эпоху электронных гаджетов. Примером тому — отполированный до блеска башмак бронзового Джона Гарварда, избранный успешными, но суеверными студентами в качестве талисмана.

Даже если бы не случилось апрельской полуночной скачки, Пол Ревир вполне мог бы претендовать на почетное место в истории США. Великий умелец был известен изготовлением штампов для первых официальных печатей штатов, бумажных денег, производством пороха. Ревир усовершенствовал методы отливки колоколов и пушек, арматуры для строившихся фрегатов. Открытый им новый способ прокатки листовой меди использовался при изготовлении котлов первых американских пароходов. Но до последнего дня жизни Ревир с гордостью носил униформу времен Войны за независимость.

В честь Пола Ревира назван один из окрестных городков к северу от Бостона, который славится своими пляжами (русские на свой лад прозвали песчаный берег Ривьерой). А памятник герою на бронзовом скакуне украшает старый Бостон неподалеку от его дома-музея в районе Норт Энд. Легенда о смерти Ивана Сусанина также живет самостоятельной жизнью. В Костроме ему поставили величественный монумент, так как прежний, царский, был разрушен в послереволюционные годы. В поселке Сусанино открыли музей легендарного старосты. Этот музей все неоднократно видели: он разместился в церкви, изображенной на картине А. К. Саврасова «Грачи прилетели».

Костромские туристические агентства уже не одно десятилетие организовывают экстрим-туры по болотам Сусанинского района, куда завел интервентов крестьянин, обращая лежащую под ногами патриотическую идею в неплохой бизнес. В пасторальных окрестностях Конкорда и Лексингтона гиды, одетые в исторические камзолы, охотно поведают о первых выстрелах американской революции, эхо которых, по словам философа Р. Эмерсона, «услышал весь мир». И в том, и в другом случае для абсолютного погружения в историческую эпоху просят выключать мобильные телефоны.

Хроника XVIII столетия

1775–1783 — Война за независимость США. Войска восставших американских колоний возглавил генерал Джордж Вашингтон.

1776, 4 июля — Континентальный конгресс в Филадельфии принял Декларацию независимости США. Новое государство составили тринадцать республик-штатов: Делавэр, Пенсильвания, Нью-Джерси, Джорджия, Коннектикут, Массачусетс, Мэриленд, Южная Каролина, Нью-Хэмпшир, Вирджиния, Нью-Йорк, Северная Каролина, Род-Айленд.

1777 — впервые поднят национальный флаг со звездами и полосами.

1777 — победа американской армии при Саратоге (штат Нью-Йорк), одной из решающих битв в Войне за независимость.

1781 — капитуляция британских войск при Йорктауне (штат Вирджиния).

1783 — Подписан Парижский мирный договор, по которому Великобритания признала независимость Соединенных Штатов.

ЛОНДОНСКИЙ СЧЕТ

Летом 1777 года в портах Новой Англии появились корабли, ходившие под флагом частной французской компании. Груз, который они доставили через океан, был самым строгим секретом тогдашней европейской политики: король Людовик XVI разрешил поставки оружия восставшим американским колониям.

У истоков интриги, приведшей к победе в Войне за независимость США, оказались два известных французских литератора, не чуждых дипломатическим хитростям и шпионажу. Первый из них, герой многих романов, которого Вольтер назвал «славной загадкой для истории», родился в 1728 году в захолустном городке Тоннере в Бургундии. Младенец был крещен как Шарль-Женевьев-Луи-Огюст-Андре-Тимоте д'Эон де Бомон. Звучное имя отражало славное прошлое дворянского рода, но никак не финансовое настоящее семьи. Юный Шарль, впрочем, быстро завоевал французскую столицу. По окончании колледжа Мазарини он служил секретарем интенданта Парижа, а также слыл блестящим шахматистом, задирой и лучшим фехтовальщиком своего времени. При этом к двадцати пяти годам д'Эон де Бомон опубликовал серьезный труд «Финансовое положение Франции при Людовике XIV и в период Регентства», а вдогонку к нему двухтомник «Политические рассуждения об администрации древних и новых народов».

Судьбу Шарля д'Эона решили события, разыгравшиеся не в золоченых покоях Версаля, а в глухих американских лесах. Долго зревшая напряженность между английскими и французскими колонистами в Новом Свете прорвалась в 1754 году стычкой у форта Дюкен (нынешний город Питтсбург в Пенсильвании). Американскими ополченцами командовал Джордж Вашингтон, в то время лояльный британской короне майор, геодезист и плантатор. Французы одержали верх и взяли Вашингтона в плен, но среди раненых оказался командующий Жюмонвиль. Так возник острый конфликт колониальных держав, приведший вскоре к Семилетней войне в Европе.

Д'Эон оказался замешан в главные политические интриги своего времени. Кузен Людовика XV принц де Конти вовлек молодого человека в круг «Секрета короля» — самую законспирированную сеть агентов с особыми поручениями. Этому способствовал во многом приукрашенный историками комический эпизод на одном из придворных маскарадов. Известный своей похотливостью Людовик XV увлекся стройной девицей в бархатной маске, и с досадой обнаружил, что перед ним юноша, который умеет постоять за себя. За «ангельской» внешностью Шарля скрывался блестящий ум и бойцовский характер.

В 1755 году в Санкт-Петербург отправились некий шотландец-геолог Дуглас Макензи и сопровождавшая его «племянница» Лия де Бомон. Среди прочего дамского багажа миловидная француженка везла шифры в подметках туфель и томик Монтескье «О духе законов», в котором только сам д'Эон мог отыскать тайник для хранения переписки. Известно, что мадемуазель де Бомон не только очаровала русскую столицу умом и приятными манерами, но и была представлена императрице Елизавете Петровне. По некоторым сведениям, царица сделала ее фрейлиной и даже допускала в свою спальню читать на ночь французские романы. Так в один из дней в царских покоях «девица» де Бомон раскрыл томик Монтескье с личным письмом Людовика, и началась «переписка доверия» двух монархов, проходившая через руки курьера д'Эона.

Во время Семилетней войны Россия и Франция стали союзницами, а шевалье д'Эон де Бомон добывал славу в качестве капитана лейб-драгунского полка и был отмечен высшей наградой Франции — крестом Святого Людовика. Умением держаться в седле, стрелять и владеть шпагой он превосходил любого офицера. К этому времени из под пера д'Эона вышло несколько томов исторических исследований (в том числе и по истории России петровского времени), трактаты о налогах, финансах и торговле с Новым Светом.

В конечном итоге кавалер д'Эон оказался в Лондоне в качестве министра-советника французского посольства, исполнявшего обязанности поверенного в делах. В тайные задачи дипломата входило изучить возможности высадки французских войск на

Британских островах. В Альбион направлялись преданные люди с секретной миссией: они собирали информацию о бухтах, пригодных для захода военных кораблей и высадки на берег десанта, о дорогах, местах для биваков, направлениях марш-бросков. Франция искала возможности взять реванш за потерянные в ходе Семилетней войны американские колонии.

На беду шевалье его покровитель Людовик XV скончался в 1774 году, а его отпрыск, король Людовик XVI, отказался от услуг д'Эона. Прибывший в Лондон новый французский посланник граф де Герши высокомерно сообщил, что кавалер должен вручить британцам отзывные грамоты и отбыть в Париж до особого распоряжения. При этом ему запрещалось показываться при дворе. Д'Эон понял, что попал в жернова большой политики и его, скорее всего, ждет Бастилия.

Строптивец объявил Герши, что намерен пока остаться в Лондоне, ибо на бумагах графа нет подписи самого короля. Шевалье продолжал аккуратно посещать посольство для обедов. Вышколенные официанты каждый раз терялись, кому подавать первому: новому послу де Герши с его верительными грамотами или же прежнему послу д'Эону, так и не представившему в Сент-Джеймс отзывные грамоты. Обеды проходили при ледяном молчании сторон. Сверх того, кавалер ордена Святого Людовика выложил новые веские аргументы.

В дни, когда в американских портовых городах происходили нешуточные волнения против британской короны, в Лондоне шла бойкая торговля скандальной книгой «Письма, мемуары и переговоры кавалера д'Эона». В книге была опубликована часть дипломатической переписки между Версалем и французским посольством в Лондоне. Шевалье благоразумно добавил в заглавие книги «Том первый». Людовик намек понял: у ловкого авантюриста оказались ключи к секретной политике короля, что было чревато не просто международным скандалом, а новой большой войной с Великобританией.

Так началась вторая часть истории, главным героем которой стал не менее изобретательный фигурант Пьер-Огюстен Карон. Об этом успешном коммерсанте и финансисте, дерзком прожектере и тайном агенте короля написано немало книг. В мировую литературу он вошел под именем Бомарше.

В прошлом придворный часовщик Пьер Карон, женившись на богатой вдовушке, которая очень скоро умерла, изменил свое имя на «де Бомарше» и купил впоследствии дворянский титул. На протяжении многих лет он вел весьма деликатные придворные дела, периодически выполнял секретные дипломатические миссии за границей. И между делом писал пьесы, в которых высмеивал чванливое аристократическое сословие.

В апреле 1775 года в Лондон прибыл французский дворянин де Ронак. Анаграмма фамилии читалась легко: «Карон». Впрочем, знаменитый автор «Севильского цирюльника» не делал тайны из своей поездки. Нужно было торопиться: только что прогремели первые выстрелы Войны за независимость США, и американцы осадили британский гарнизон в Бостоне. В преддверии новых катаклизмов король желал избавиться от опасного д'Эона. Французская разведка перепробовала варианты отравления и похищения, но бывший драгунский капитан не единожды доказывал, что обладает не только навыками стрельбы и фехтования, но и конспирации. Вспомнив подвиги молодости, он переоделся в женское платье и нашел себе в Лондоне тайное убежище.

В Версале были уверены: Бомарше сможет обвести вокруг пальца кого угодно, но создатель «Севильского цирюльника» решил усложнить интригу. Для начала он сообщил своему королю: «Сир, Англия переживает такой кризис, такой беспорядок царит как внутри страны, так и в колониях, что она потерпела бы полное крушение, если бы только ее соседи и соперники в состоянии были всерьез этим заняться… Англия потеряет Америку, несмотря на все свои усилия; война все яростнее разгорается не в Бостоне, а в самом Лондоне». Бомарше убеждал Людовика XVI оказать помощь мятежным американцам: здесь играли роль не только его политические убеждения, но и личный коммерческий интерес.

За ужином в одном из лондонских особняков состоялась секретная встреча двух французских авантюристов. Драматург предложил шевалье хороший выкуп за его документы и пожизненный пенсион по возвращении во Францию. Осторожный д'Эон не спешил сдавать позиции. Бомарше доложил в Версаль о трудностях переговоров и запросил в качестве награды для себя большой заем и разрешение на поставки оружия в Америку через частную подставную фирму.

Устами Фигаро Бомарше дал красочную характеристику тогдашней секретной дипломатии: «Прикидываться, что не зна-

Пьер-Огюстен Карон (Бомарше)

ешь того, что известно всем, и что тебе известно то, что никто не знает; прикидываться, что слышишь то, что никому не понятно, и не прислушиваться к тому, что слышно всем... худо ли, хорошо ли разыгрывать персону, плодить наушников и прикармливать изменников, растапливать сургучные печати, перехватывать письма и стараться важностью цели оправдать убожество средств».

В конечном итоге министр иностранных дел Его христианнейшего величества граф де Верженн тайно выделил Бомарше миллион ливров и разрешил получить оружие из французских арсеналов. После дипломатического нажима такую же сумму предоставила и связанная с Францией «семейным пактом» Испания. На полученные деньги Пьер Карон создал фиктивную торговую компанию «Родриг Горталес и компаньоны», под вывеской которой начались поставки оружия за океан. Кроме королевских денег Бомарше вложил в предприятие и свой капитал, рассчитывая получить в уплату за оружие американский хлопок, табак, индиго и выгодно перепродать их в Европе. «Великое дело Свободы», по Бомарше, не только не исключало, но и предполагало извлечение коммерческой выгоды.

Как писал американский историк Джоэл Р. Пол, «д'Эон невольно послужил катализатором, подвигнувшим Людовика XVI вооружить американцев против Британии». Тому предшествовала трагикомическая сцена в лондонской гостиной. Бомарше, умело используя подкуп и запугивания, склонял д'Эона к соглашению. К изумлению драматурга, шевалье в драгунском мундире неожиданно расплакался и признался, что он всего лишь «несчастная женщина», которая испытывает сильные чувства к Пьеру Карону. Комедиограф поначалу не мог поверить своим глазам и ушам, но Шарль-Женевьева искренне рассказывала о жестокой родительской воле, когда из-за ожидавшегося наследства ее одевали и воспитывали как мальчика. Бомарше писал королю: «Мое сердце наполнилось состраданием, когда я узнал, что это преследуемое создание принадлежит к полу, которому все прощается...»

В архиве французского министерства иностранных дел сохранился весьма необычный договор, подписанный с одной стороны господином Кароном де Бомарше в силу полномочий, возложенных на него Людовиком XVI, а с другой — «барышней де Бомон, старшей дочерью в семье, известной до сего дня под именем кавалера д'Эона, бывшего капитана драгунского полка, кавалера ордена Святого Людовика...» Де Бомон соглашалась вернуть свой архив французской короне и признавала следующее: «По воле родителей барышня де Бомон до сего времени жила под чужим ей мужским обличьем, и отныне, дабы положить конец этому двусмысленному положению, вновь станет носить женское платье и больше никогда от этого не откажется, за что ей позволено вернуться во Францию. Как только это условие будет выполнено, она получит пожизненную ренту в 12 тысяч ливров годовых, а все долги, наделанные ею в Лондоне, будут оплачены. Учитывая ее ратные заслуги, ей разрешается носить крест Святого Людовика на женском платье и выделяется 2000 экю на приобретение женского гардероба».

В Лондоне было объявлено о помолвке двух литераторов и дипломатов. Женевьева де Бомон выражала самые нежные чувства Пьеру Карону, подписывая послания к нему «ваша драгуночка». Бомарше развлекал гостей любовными песнями, сочиненными для невесты. Английские граверы изображали двуполую возмутительницу спокойствия одновременно в виде Минервы (богини войны) и Венеры (богини любви). Распутный Париж с интересом ждал, чем закончится первая брачная ночь «капитана в юбке» с ловким комедиантом.

Под прикрытием лондонской шумихи торговая компания «Родриг Горталес» активно снаряжала корабли и организовывала отправку в США тысяч ружей, сотен тонн пороха, амуниции, медикаментов и более двухсот пушек, на которых значилась монограмма Людовика XVI. Опытные агенты Бомарше действовали во всех крупных французских портах, где закупались и оснащались корабли. Располагая достоверной информацией, британский посол в Париже лорд Стормонт заявлял протесты министру иностранных дел Франции графу Верженну. Протесты оспари-

Карикатура на двуликую кавалершу

вались, суда с грузами для Америки на время задерживались, но затем поставки возобновлялись. Французско-британский конфликт до поры до времени ограничивался дипломатической сферой.

Торговый флот Пьера Карона насчитывал 40 кораблей, включая трехпалубный пятидесятипушечный фрегат «Гордый Родриг». В общей сложности они перевезли в Америку объем оружия и снаряжения, рассчитанный на тридцатитысячную армию. Важность этих поставок для исхода военных действий трудно переоценить. Достаточно, например, упомянуть, что более восьмидесяти процентов ружейного пороха в войсках Вашингтона было поставлено из Франции. Сам Бомарше писал об этом без ложной скромности: «Из всех французов, кто бы они ни были, я больше всех сделал для свободы Америки, породившей и нашу свободу, я один осмелился составить план действий и приступить к его осуществлению…»

По прибытии во Францию кавалерша де Бомон сменила драгунские панталоны на пышные фижмы, Бомарше поставил в Париже «Женитьбу Фигаро», а в 1778 году возник франко-американский стратегический союз, приведший в итоге к победе в Войне за независимость США. Два талантливых плута, драматург-контрабандист и драгун-девица, стоили один другого, но оба немало поспешествовали делу американской свободы. Хотя помолвка Бомарше и д'Эон расстроилась. Шевальерша с обидой, по-женски, писала об этом в мемуарах: «Там, где требовалась прямота, он использовал хитрость; он должен был предстать

Бостонская гавань в XVIII веке

посланником великого и щедрого короля перед его нижайшей подданной, а предстал мелким и скаредным торгашом...» Оскорбленная в лучших чувствах д'Эон даже попрекнула Бомарше происхождением, назвав его «сыном часовщика». Королевский агент предпочел цинично отшутиться: «Что можно ожидать от женщины?»

Вскоре «амазонка» д'Эон, прослышав о французской помощи восставшим американским штатам, начнет забрасывать Версаль просьбами о зачислении в волонтерский корпус графа Рошамбо, отправлявшийся в США. В ответ ослушницу посадили в подвал Дижонского замка, а затем отправили под домашний арест в дом матери в Тоннер, где «кавалер-девица» провела шесть лет. Американское приключение, к великой жалости историков, не состоялось.

Дальнейшие судьбы шевальерши д'Эон и ее коварного суженого Бомарше оказались удивительно схожими. Оба приветствовали падение Бастилии, не ведая, какие потрясения сулит им новая жизнь. Создатель Фигаро — простолюдина, одерживающего верх над циничными и глупыми аристократами, не подозревал, что в реальной жизни эти Фигаро явятся громить его парижский дом. Лишились голов многие из дворян-офицеров, воевавших в Америке. Бомарше также оказался в тюрьме по обвинению в государственной измене и чудом избежал гильотины.

Госпожа де Бомон отправилась искать утерянное счастье в Лондон. Там же оказался и Пьер Карон. Оба познали забвение и нужду и даже побывали в английской долговой тюрьме. Они никогда не виделись в Лондоне. Бомарше в конце концов смог вернуться домой, но вскоре скончался от сердечного приступа. Мадам д'Эон зарабатывала на жизнь уроками обращения с рапирой. Ее физические кондиции удивляли даже опытных мужчин-фехтовальщиков. Только в возрасте семидесяти лет, получив серьезное ранение, она прекратила турниры.

23 мая 1810 года лондонский хирург Томас Копленд был вызван для медицинского освидетельствования скончавшейся в преклонном возрасте французской эмигрантки. Подписанное им в присутствии двух других врачей свидетельство о смерти д'Эон утверждает, что нет никаких сомнений в том, что усопшая особа является мужчиной со всеми выраженными признаками своего пола. Словно в насмешку шевалье оставил завещание с просьбой установить на могиле камень с его собственной эпитафией: «...Теперь хвалу и клевету приемлю равнодушно».

Мундир и кружева, парики и корсеты, пьесы и шифровки... В донельзя запутанной интриге д'Эон – Бомарше теперь уже никто не разберется, кто кого ловчее провел. Но порох и пушки американцы получили всего за неделю до битвы при Саратоге.

Хроника XVIII столетия

1784 — экспедиция под началом Григория Шелихова основала первое в Северной Америке русское поселение на острове Кадьяк (Аляска).

1785 — введение доллара — денежной единицы США.

1787 — Изобретатель Джон Фитч на реке Делавэр продемонстрировал первый пароход.

1787 — принятие конституции США (вступила в силу после ратификации всеми штатами в 1789 г.)

1789–1797 — президентство Джорджа Вашингтона.

1789 — создан Верховный Суд США.

1789 — впервые членом российской Академии наук и художеств избран американец — Бенджамин Франклин (за исследования в области электричества).

НЕУДАВШИЙСЯ РОМАН В ПИСЬМАХ

«Государь, брат мой. Получив письмо вашего величества, я была тем более тронута откровенностью и искренностью, с которыми вам угодно было говорить со мной о настоящем положении ваших дел, что вы не могли дать мне более очевидного доказательства доверия вашего к моей дружбе».

Столь возвышенным слогом начинается письмо русской императрицы Екатерины II английскому королю Георгу III. Послание датировано 23 сентября (4 октября) 1775 года и вызвано, как тогда говорили, «отложением английских селений» за океаном. Американские баталии вынудили обе воюющие стороны искать союзников. Туманный Альбион традиционно пополнял свои войска иностранными наемниками. Летом 1775 года английский двор замыслил отправить в Америку корпус, составленный из русских солдат. Они славились не только своими боевыми качествами, но и способностью вести военные действия в суровых климатических условиях. Британский посланник в Санкт-Петербурге зондировал настроения русского двора на предмет возможной сделки.

1 сентября 1775 года Георг III обратился к «сестре Китти» (Екатерине II) с личным письмом, в котором он предлагал «принять» двадцать тысяч русских солдат для подавления мятежа в Северной Америке. Одновременно английская миссия в Петербурге получила секретные инструкции различными путями добиваться соответствующего соглашения.

Санкт-Петербург был весьма подробно осведомлен о состоянии дел в Англии и ее колониях. Интересно, что еще за десять лет до описываемых событий в донесении императрице советника российской миссии в Лондоне говорилось: «...все провинции Северной Америки меж собою соглашаются, чтоб не признать в английском парламенте власть налагать на них подати,

Король Георг III

претендуя... мало-помалу себе присвоить совершенную независимость...»

Российская дипломатическая агентура успешно работала во всех европейских столицах. В тайную деятельность сбора информации были вовлечены опытные профессионалы. Шпионажем тогда занимались не только ведомства иностранных дел каждой из европейских держав, но и их военные, морские, торговые, почтовые, полицейские власти. В эту сферу включались таможенники и трактирщики, держатели аристократических салонов и банкирские конторы, содержатели игорных и публичных домов, масонские ложи и даже пираты.

XVIII век был временем расцвета так называемых «черных кабинетов», занимавшихся перехватом информации. В Лондоне это искусство было доведено до совершенства: здесь вся корреспонденция иностранных адресатов подвергалась перлюстрации, причем удавалось не оставлять никаких следов тайного вскрытия пакетов. Тем не менее российский посланник в Лондоне граф А. С. Мусин-Пушкин в шифрованных донесениях, написанных симпатическими (невидимыми) чернилами регулярно информировал императрицу о развитии событий в колониях и настроениях английского двора. Будучи блестящим аналитиком, Мусин-Пушкин предсказал приближающийся вооруженный конфликт в Америке.

Екатерина II не испытывала никаких симпатий к повстанцам, поднявшим оружие против «законного» монарха. Однако русская императрица отнюдь не собиралась помогать своей сопернице Англии. «Северная Семирамида» весьма скептически отзывалась о способностях Георга III. В одном из частных писем летом 1775 года она отмечала: «Его прекрасные подданные им тяготятся и часто даже...» Последовавшее здесь многоточие выглядит весьма красноречиво. Письмо заканчивается следующей фразой: «...еще при моей жизни нам придется увидеть отпадение Америки от Европы».

Подписание Декларации независимости

В вежливом ответе Екатерины II Георгу III, упомянутом выше, императрица выражает «полное сочувствие» августейшему адресату, но сообщает, что его просьбы о посылке российских войск в Америку «превосходят те средства, которыми я могу располагать для оказания услуги Вашему Величеству».

В мае 1776 года российский посланник в Париже князь И. С. Барятинский сообщил вице-канцлеру России графу И. А. Остерману: «Оставление (англичанами — *Л. С.*) города Бостона произвело, как сказывают, великую сенсацию в роялистах и ободрение в американцах».

По подсчетам историков, шпионы численно превосходили дипломатов в Париже в десять раз. Стены дворцов имели уши, замочные скважины — глаза. Для обработки приходящей информации в европейских столицах создавались специальные дешифровальные отделы, включавшие не только экспертов по кодам, но и переводчиков, специалистов по вскрытию писем, граверов, умевших делать печати, химиков, знакомых с невидимыми чернилами. В Англии пост дешифровальщика длительное время занимал священник Э. Уиллес. В России к этой работе привлекли знаменитого физика и математика Ф. У. Т. Эпинуса. Член Петербургской Академии наук, действительный статский советник Эпинус был «определен при Коллегии иностранных дел при особливой должности», где сумел разгадать шифр французской разведывательной службы. Петербург, таким образом, смог знакомиться с бесценной информацией.

Россия одной из первых узнала о тайных переговорах Б. Франклина с правительством Франции о направлении военной помощи в США. Российский посланник в Париже князь И. С. Барятинский

Индепенденс-Холл в Филадельфии, где были провозглашены Соединенные Штаты Америки

сообщал 4 декабря 1776 года: «Министерство здешнее всячески старается скрывать даваемую под рукою (то есть тайно. — *Л. С.*) американцам помощь... Вчерашнего дня от полиции дан приказ, во всех кофейных домах и трактирах чтоб не рассуждать о американских делах...»

Между тем английский двор вновь вернулся к идее привлечения русской армии для военных действий в Америке. В 1777 году в Санкт-Петербург был направлен один из наиболее способных британских дипломатов Джеймс Харрис (впоследствии — лорд Малмсбери). Лондон теперь устраивал и сокращенный вариант договора. Взамен англичане предлагали не только деньги, но и дипломатическую поддержку в спорах России с ее соседями. Сэр Харрис пытался плести сеть интриги через фаворитов Екатерины Г. Орлова и Г. Потемкина. Однако все попытки оказались тщетными. Нота главы Коллегии иностранных дел графа Н.И. Панина, последовавшая 6 мая 1778 года, уведомила, что императрица «считает существующую обстановку совершенно неподходящей для заключения союза между дворами».

Георг III весьма болезненно воспринял неудачу. Король жаловался, что письмо императрицы содержит выражения, которые, «возможно, вежливы для русского уха, но уж никак не для более цивилизованных ушей». Хотя Лондону удалось завербовать около тридцати тысяч наемников в шести германских княжествах, их воинские качества оставляли желать лучшего. Родной брат Екатерины, князь Анхальт-Цербстский, жадный до английского золота, отправил в Америку 828 «солдат удачи» из своего карликового государства. Потраченные на германских князей и выплату жалованья солдатам несколько миллионов фунтов стерлингов сами немцы называли «кровавыми». После окончания войны многие из немецких солдат остались в США, став фермерами или ремесленниками.

Хотя на словах Екатерина II подчеркивала свою беспристрастность и нейтралитет, на практике действия России приобретали явную антибританскую направленность. Англия с ее сильным морским флотом вела блокаду американских колоний и стремилась диктовать свои условия другим морским державам. 28 февраля 1780 года Екатерина II подписала Декларацию о вооруженном морском нейтралитете. В документе указывалось, что нейтральные суда могут свободно посещать порты воюющих держав, собственность воюющих держав на нейтральных судах считалась неприкосновенной. Провозгласив эти принципы, императрица объявляла, что «для охраны чести ее флага, безопасности торговли… она повелит отрядить значительную часть своих морских сил».

Аналогичные ноты были направлены в Париж и Мадрид, где их встретили с большой радостью. Франция и Испания готовились вступить в войну против Великобритании. Таким образом, Россия заняла объективно благожелательную позицию в отношении восставших колоний и, преследуя свои цели, способствовала борьбе за независимость США. Российское правительство также выступило инициатором создания Лиги вооруженного нейтралитета для защиты торгового мореплавания. На протяжении 1780–1783 годов в Лигу вступили Дания, Швеция, Голландия, Пруссия, Австрия и Португалия. Гордая Британия, «владычица морей», теперь была вынуждена считаться с главой Лиги нейтральных стран.

Екатерина II действовала трезво и расчетливо, в соответствии с практическими интересами России. Секретный доклад главы Коллегии иностранных дел графа Н. И. Панина в апреле 1781 года представлял императрице все выгоды сохранения нейтралитета в отношении воюющих держав, «ибо под сенью оного будет из года в год заводиться и возрастать собственная россиян навигация». При этом позиция России играла на пользу США, нуждавшимся в снабжении из Европы. Исключительно высокую оценку Декларации о вооруженном нейтралитете давали первые американские президенты Дж. Вашингтон, Дж. Адамс, Т. Джефферсон, Дж. Мэдисон. Последний писал, что вооруженный нейтралитет составил «эпоху в истории морского права».

Россия не предпринимала никаких шагов к официальному признанию США. Однако неофициальные торговые, научные и культурные контакты продолжали развиваться. Из побывавших в Париже в годы войны «путешествующих аристократов», имевших встречи с Б. Франклином, достаточно упомянуть писателя Д. И. Фонвизина (собиравшего одновременно информацию для Коллегии иностранных дел) и княгиню Е. Р. Дашкову, подругу императрицы, впоследствии президента Российской Академии наук.

Английские агенты в Санкт-Петербурге обращали внимание, что значительно возросло в гавани число голландских и французских судов, которые загружались в русской столице пенькой, парусным полотном, корабельными мачтами и железом, а когда оказывались в открытом море, то меняли свой флаг на американский.

Установление впоследствии прямых коммерческих связей США с Россией подорвало английскую торговую монополию. В последний год царствования Екатерины II (1796) только в Санкт-Петербург прибыло пятьдесят девять судов под американским флагом. В следующее десятилетие число американских торговых кораблей в российских портах превысило пятьсот. Высококачественные русские материалы шли на строительство и оснастку быстрорастущего американского флота. В свою очередь, Россия получала различные колониальные товары — лимоны (использовавшиеся не в пищу, а для дубления кожи), чай, сахар, кофе, пряности, вина, красители. Здесь интересно отметить, что уже в XIX веке американский хлопок положил начало знаменитой русской текстильной промышленности.

А. С. Пушкин весьма метко назвал Екатерину II «Тартюфом в юбке и короне». Императрица вовсе не желала обострений в отношениях с Великобританией из-за бывших колоний. Отправленный в Санкт-Петербург в 1780 году первый американский посланник Фрэнсис Дейна не смог вручить верительные грамоты. Он был принят лишь как частное лицо вице-канцлером И. А. Остерманом, который передал пожелание императрицы, «чтобы не только вы лично, но и все ваши соотечественники, которым случится отправиться в Российскую империю по торговым или другим делам, встретили самый благожелательный прием и нашли защиту в соответствии с международным правом».

Последним раундом дипломатической игры стала инициатива Екатерины выступить в качестве «медиатора» (посредника) между Англией и воюющими против нее «бурбонскими домами» — Францией и Испанией. В конце 1780 года центром переговоров была выбрана австрийская столица, куда в качестве уполномоченного направился искушенный дипломат князь Д. М. Голицын.

Переговоры в Вене шли трудно. Разногласия между европейскими дворами и упрямство англичан тормозили выработку условий мира. Георг III предлагал России средиземноморский остров Минорку, если Екатерина II будет действовать в интересах Англии. Сэр Джеймс Харрис в личной беседе намекнул: если императрице не по нраву Минорка, она вольна выбирать какой-либо из «сахарных островов», возможно, Ямайку. Екатерина отказалась от подарка и продолжала свою собственную политику.

Потерпев крах в дипломатических маневрах и терпя военные поражения в Северной Америке, король Георг III принял отставку правительства. Новый кабинет министров во главе с лордом Рокингэмом начал прямые мирные переговоры с американцами. 3 сентября 1783 года был подписан Парижский договор, юридически закрепивший американскую независимость. Тексты мирных договоров Англии с Францией и Испанией, наряду с официальными представителями соответствующих государств, скрепили своими подписями российские уполномоченные — посланник во Франции князь И. С. Барятинский и посланник с особым поручением в Париже граф А. И. Морков.

Дипломатическая игра была окончена.

Хроника XVIII столетия

1790 — по данным первой переписи население страны составляло 3 929 214 человек.

1791 — Вермонт вошел в состав Союза Штатов.

1791 — вступил в силу Билль о правах — первые десять поправок к конституции, обеспечивающие основные права граждан.

1792 — организована Нью-Йоркская фондовая биржа.

1792 — в состав США вошел штат Кентукки.

1793 — механик из Коннектикута Эли Уитни изобрел хлопкоочистительную машину.

1795 — купец из Массачусетса Дж. М. Рассел открыл первый американский торговый дом в России (в Санкт-Петербурге).

ВСТРЕЧА С ИВАНОМ АЛЕКСЕЕВИЧЕМ

Я шатаюсь по лицу земному,
как трава от ветра колеблемая…

Ф. Каржавин

Талейран обмолвился однажды: «Кто не жил в восемнадцатом веке, не жил вовсе». Из романтического воздуха столетия рождались удивительные биографии. Две эмигрантских истории, француза Кревкера и русского Каржавина, могли бы составить как сюжет авантюрного романа, так и солидное литературоведческое исследование.

Мишель-Гийом Жан де Кревкер (*Crevecoeur*), появился на свет в 1735 году в Нормандии. Отец его был обедневшим аристократом, мальчика для получения хорошего образования отправили в иезуитский колледж. Но молодому провинциальному дворянину было скучно жить: эпоха требовала приключений, опасностей, действий. Повздорив с деспотичным отцом, Кревкер отправился за тридевять земель, в Канаду. Для французов заморская королевская провинция Новая Франция была чем-то вроде Сибири для русских. «Несколько миллионов арпанов снега», — писал о Канаде Вольтер.

В качестве топографа Мишель-Гийом исследовал гигантские просторы Северной Америки — район Великих озер, бассейн реки Огайо, верховья Миссисипи. Сам король Людовик XV отметил чертежи и карты лейтенанта де Кревкера. Во время английской осады Квебека, последнего сражения за Канаду, Мишель-Гийом получил тяжелое ранение.

После эвакуации французов из Канады Кревкер перебрался в колонию Нью-Йорк, где переменил имя на Джон Гектор Сент-Джон. Десять последующих лет он был землемером и странствующим торговцем. «Я продавал, покупал, перепродавал и в конце концов познакомился, и как следует, с огромной страной...», — слова путешественника Ф. Каржавина, но вполне относятся к его современнику Кревкеру.

В 1769 году француз женился на дочери состоятельного землевладельца и осел на ферме в графстве Оранж, в ста двадцати милях к северу от Нью-Йорка. Последующие десять лет — самые спокойные в биографии Сент-Джона. «Фермер-джентльмен» в окружении любящих домочадцев — чем не умилительный финал «бродяжьей судьбы»? Но не для Кревкера.

В эти годы он создает «Письма американского фермера» — произведение, ставшее необыкновенно популярным в конце восемнадцатого столетия. «Письма» Кревкера принято считать началом собственно американской литературы, поскольку в них впервые было связно изложено, что значит быть «американцем». Открытие новых земель, иммиграция и ассимиляция разноплеменных европейцев, смута американской революции — все это убедило Кревкера, что он присутствует при рождении особой нации, наделенной собственным менталитетом: «Американец — тот, кто, отказавшись от всех прежних традиций и предрассудков, приобретает новые обычаи как результат нового образа жизни».

В 1779 году Кревкер прервал свою сельскую идиллию и отправился во Францию в надежде восстановить утерянные родственные связи и обрести наследство. Полным ходом шла Война за независимость, и порт Нью-Йорк был оккупирован британскими войсками. Англичане, заподозрив в Кревекере французского шпиона, отправили его в тюрьму. Лишь спустя год он добрался до Лондона, при этом пережив кораблекрушение у берегов Ирландии.

В 1781 году в Лондоне Кревкер продал издателю рукопись своих «Писем американского фермера» за 30 гиней. В 1782 году он переезжает в Париж, где становится вхож в литературные салоны столицы. Интересно, что раскрытие псевдонима Гектора Сент-Джона носило оттенок скандальности. Некий дотошный и патриотически настроенный библиотекарь Британского музея печатно уличил Кревкера в неточностях, в том, что он — француз, католик, а вовсе не простодушный пенсильванский пахарь, потомок пионеров-скваттеров, и что его книга — литературная мистификация, преследующая цель увлечь доверчивых европейцев в Америку.

Признанный специалист по Соединенным Штатам, Кревкер по поручению двора неоднократно составлял отчеты в Версаль.

Людовик XVI назначил его французским консулом в Нью-Йорк, тогдашнюю столицу США. По прибытии в Америку Кревкер, к своему ужасу, узнал, что дом его в ходе военных действий сожжен, а жена скончалась. Своих детей консул отыскал среди бостонских бездомных.

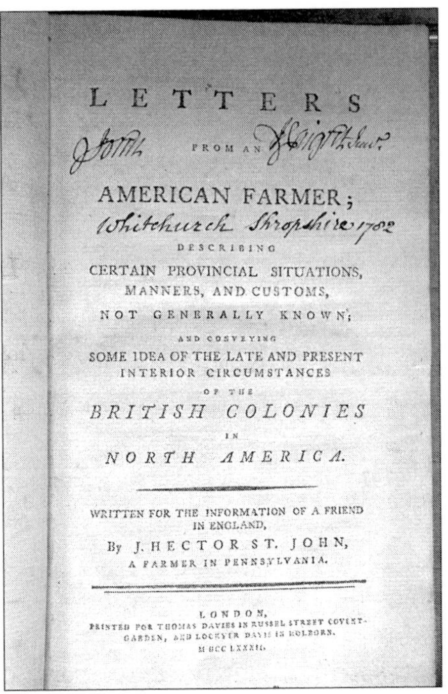
LETTERS
FROM AN
AMERICAN FARMER;
Whitchurch Shropshire 1782
DESCRIBING
CERTAIN PROVINCIAL SITUATIONS,
MANNERS, AND CUSTOMS,
NOT GENERALLY KNOWN;
AND CONVEYING
SOME IDEA OF THE LATE AND PRESENT
INTERIOR CIRCUMSTANCES
OF THE
BRITISH COLONIES
IN
NORTH AMERICA.

WRITTEN FOR THE INFORMATION OF A FRIEND
IN ENGLAND,
By J. HECTOR ST. JOHN,
A FARMER IN PENNSYLVANIA.

LONDON,
PRINTED FOR THOMAS DAVIES IN RUSSEL STREET COVENT-GARDEN, AND LOCKYER DAVIS IN HOLBORN.
MDCCLXXXII.

«Письма американского фермера»

Сегодня изрядно подзабытый литератор Сент-Джон де Кревкер не всегда упоминается даже в академических изданиях, несмотря на его особенную роль по обе стороны океана. «В Америке из представителей разных наций выплавляется новый народ, чьи труды и потомки когда-нибудь произведут в мире величайшие перемены» — именно к «Письмам» Кревкера восходит метафора «плавильного котла», сыгравшая исключительно важную роль в формировании американской культуры. Во Франции Кревкер неожиданно прославился как пропагандист культуры картофеля. Для России же он интересен как первый американский литератор, который использовал русские персонажи в своих произведениях.

В «Письмах американского фермера» Кревкер выводит некоего путешествующего «русского джентльмена И-на А-ча», который навещает известного пенсильванского ботаника Джона Бертрама. Криптоним русского путешественника в одном из позднейших изданий «Писем» был раскрыт как «Иван Алексеевич».

Русский джентльмен и американский ботаник ведут беседу о положении крепостного крестьянства в Российской империи, о ее «жестокосердном правительстве». Для историков до сих пор остается предметом спора, существовал ли реальный прототип русского дворянина или же это очередная маска, под которой скрывался сам Кревкер.

Использование литературной маски характерно для восемнадцатого века. Старший современник Кревкера Бенджамин Франклин дебютировал под именем вдовы Сайленс Дугуд; в дальнейшем он использовал десятки личин-псевдонимов, среди которых Полли Бейкер, мать пятнадцати незаконных детей или же прославленный простак Бедный Ричард. Сам Кревкер печатался в американских газетах под псевдонимом Агрикола.

О чем же говорил русский дворянин с американским ученым? «Сколь изобильны, счастливы и могучи мы были бы, если бы во всей Российской империи земли обрабатывались так же, как поля в Пенсильвании». А вот и вовсе пророческое предположение Ивана Алексеевича: «Русских в некотором отношении можно сравнить с вами. Мы тоже новый народ, то есть я хочу сказать, новый в отношении знаний, искусства и разного рода усовершенствований. Кто знает, какие революции могут в один прекрасный день породить Россия и Америка».

Спустя полвека, посетивший Новый Свет другой знаменитый француз Алексис де Токвиль, автор классического труда «Демократия в Америке», продолжил мысль Кревкера: «В настоящее время в мире существуют два великих народа. Это русские и англоамериканцы. Оба этих народа появились на сцене неожиданно… У стран этих разные истоки и разные пути, но очень возможно, что Провидение втайне уготовило каждой из них стать хозяйкой половины мира».

В 1783 году одновременно в Лондоне и Дублине появились англоязычные издания «Писем», а их французская версия — в Париже. Год был во всех отношениях замечательным. По Версальскому мирному договору Англия после восьми лет военного противостояния признала независимость Соединенных Штатов. В том же году в Санкт-Петербург впервые прибыл торговый корабль под американским флагом, а купец Григорий Шелихов отправился с первой промысловой экспедицией к берегам Аляски.

В том же 1783 году вышло первое оригинальное русское сочинение об американской жизни, составленное литератором и переводчиком Д. М. Ладыгиным. Изданная в Петербурге книга имеет название «Известие в Америке о селениях англицких, в

Кревкер

том числе ныне под названием Соединенных Провинций». Интересно, что автор книги постоянно соотносит Северную Америку с Россией и даже предложил свое средство от американских мух, «называемых мускиты»: «Дегтю бы нашего березового или ныне ославленного мыла дегтярного туда отведать в посылку» (Дмитрий Ладыгин, помимо литературной деятельности, был автором нескольких книг о мыловарении).

Кревкер охотно расселил русские персонажи на своих страницах. В вышедшем в 1801 году в Париже его трехтомном «Путешествии по верхней Пенсильвании и штату Нью-Йорк» есть два российских натуралиста, поднявшихся от устья Миссисипи до верховий Огайо. Почти через полтора века после первого выхода «Писем» увидели свет сохранившиеся в архиве семьи Кревекеров во Франции еще одиннадцать фрагментов под названием «Очерки Америки восемнадцатого века». Судя по общей эпистолярной форме, «Письма американского фермера» и «Очерки» исходно были частями единого текста. Вновь, уже в который раз, здесь появляется некто Иван, живший ранее в Саратове и Архангельске и по торговым делам перебравшийся в Новый Свет.

История сохранила имена нескольких российских подданных, проживавших в то время в США. Один из них, Федор Каржавин, фигура под стать Кревкеру. Сын петербургского купца-старообрядца, он учился в Сорбонне, знал десять языков, написал и перевел множество книг. Каржавин побывал парфюмером в Париже, учителем в Троице-Сергиевой лавре, плантатором на Кубе, коммерсантом в Вирджинии, аптекарем в армии Вашингтона. Он жил двенадцать лет «в разных областях как холодныя, так и теплыя Америки» и оставил интересные записи. У «русского бродяги» также было множество имен: француз Теодор Лами, капитан Иван Бах, Русский американец.

Бродвей в начале XIX века

Известно, что Каржавин организовывал провоз продуктов и боеприпасов через кордоны английских патрулей, блокировавших американское побережье. Весной 1777 года, как сообщила «Вирджиния Газетт», бриг «капитана Ивана Баха» доставил с Мартиники груз оружия и пороха. Англичане дважды захватывали и конфисковывали каржавинские корабли. Предприимчивый русский обошел весь континент, «от матерой Америки до Канадианской земли». Федор-Теодор «с сумою на плечах», с французским паспортом, свободно говоривший на всех европейских языках, вполне мог повстречаться Кревкеру в американских городах и весях.

Два искателя приключений могли бы увидеться в доме Томаса Джефферсона, с которым водили знакомство, и в английском плену, на соломе в нью-йоркской тюрьме. Даты их биографий нередко совпадают, но ни «пенсильванский фермер» ни «русский американец» не упоминают друг о друге.

Из письма профессора Вирджинского университета К. Беллини известно, что Каржавин успешно скрещивал «виргинский табак» с волжским самосадом. Член французского агрономического общества Кревкер украсил парижские улицы американской акацией. Оба сына своего века оставили разнообразные естественнонаучные заметки.

«Америка — страна великолепных расстояний», — произнес молодой топограф Джордж Вашингтон. Покорял просторы Нового Света анонимный «брат Иван» Кревкера, доставлял восставшим колонистам оружие и продовольствие капитан Иван Бах. «Очевидно, мы связаны между собою более тесными узами, чем иной раз представляется», — заключает свои рассуждения путешественник Иван Алексеевич.

Представители молодого и энергичного восемнадцатого века — землемеры и топографы Вашингтон и Кревкер, негоцианты Каржавин и Франклин… Удивительным образом переплетались их деяния и мысли в Америке, Франции и России, пробуждая интерес этих стран друг к другу.

«Увидит ли когда-нибудь публика “Североамериканский дневник Каржавина?”», — вопрошал в письме к «русскому американцу» профессор Беллини. Несмотря на обширный архив, оставленный Федором Каржавиным, судьба упомянутого дневника остается неизвестной.

Вернувшись на родину, купеческий сын влачил неприметное существование делопроизводителя и переводчика при Коллегии иностранных дел, а позже — при Адмиралтейской коллегии. Лишь незадолго до смерти ему был пожалован чин надворного советника. В 1812 году Каржавин был привлечен к следствию по делу о распространении письма вольнодумного содержания, но допрошен не был, ибо скоропостижно скончался. «Бродяга» Гектор Сент-Джон де Кревкер пережил в Париже своего литературного собрата всего на несколько месяцев.

Хроника XVIII столетия

1797–1801 — президентство Джона Адамса.

1797 — кузнец Ч. Ньюболд из Нью-Джерси запатентовал металлический плуг.

1798 — Введен налог на дома, землю, рабов.

1799 — указом императора Павла I учреждена Российско-Американская компания для торгово-промысловой деятельности на Аляске. Возникает понятие «Русская Америка».

1799 — штат Теннесси вошел в состав США.

1800 — инженер Джон Хокинс запатентовал «портативный рояль» — пианино.

1800 — Вашингтон, округ Колумбия, стал федеральной столицей Соединенных Штатов.

1800 — первое официальное упоминание о русских, обосновавшихся на территории США (зафиксировано второй переписью населения страны).

ФРАНСИСКО ПЕРВЫЙ

Купец Себастьян Миранда-и-Равело, поселившийся в середине XVIII века в испанской колонии Венесуэла, мечтал о двух вещах: получить дворянское звание и стать «Большим какао». Последнее — владение плантациями этого прибыльного продукта — оказалось делом недостижимым для торговца средней руки, и Миранда обратил все силы и средства на реализацию первой мечты — сделаться идальго с правом носить дворянский камзол и шпагу.

Дряхлевшая испанская империя остро нуждалась в деньгах. На просторах Старого и Нового Света продавалось все и вся. Король и его наместники торговали государственными должностями в столице и американских колониях, кардиналы и епископы за соответствующую мзду выдавали блудницам сертификаты непорочности и снимали епитимью, святая инквизиция охотилась за богатыми отступниками. Дон Себастьян отправил своего старшего сына Франсиско в Мадрид с весьма важным поручением: получить от главного летописца королевства, ведавшего вопросами геральдики, свидетельство о дворянском происхождении семьи Миранды, а если хватит средств, то и титул графа или на худой конец барона.

Двадцатилетний Франсиско Миранда пересек Атлантику и 29 февраля 1771 года высадился в Кадисе, одном из крупнейших портов Испании. Первое, что увидел молодой венесуэлец на европейском берегу — суровую крепость Ла-Карака, в казематах которой заживо гноились враги испанского короля и святой римской католической церкви. Вряд ли этот провинциальный юноша из отдаленного уголка Нового Света мог предположить, что в сыром застенке Кадиса сорок лет спустя закончится и его земной путь.

После долгих месяцев настойчивых стараний и немалых подношений, Франсиско заполучил скрепленный громадными сургучными печатями королевского архивариуса заветный сертификат. Из документа явствовало, что род Миранда — один

Франсиско Миранда

из самых знатных во всем испанском королевстве, а среди предков Франсиско были храбрые рыцари, непобедимые военачальники, почтенные аббаты и знаменитые богословы. Неподкупный летописец указывал далее, что, имеются «достаточные основания», дающие право Миранде пользоваться фамильным гербом, на котором изображены пять девственниц-христианок, освобожденных, «согласно архивным данным», из мавританского плена его славным предком.

Несмотря на всю затейливость этого документа в стиле эпохи, Франсиско было отказано в поступлении в Мадридскую королевскую военную академию. В 1773 году венесуэлец начал службу в чине капитана в Кадисе в пехотном полку имени Принцессы. Миранде пришлось делом доказывать, что в его жилах течет кровь испанских конкистадоров. Два года капитан сражался в песках Марокко и Алжира. Затем, когда Испания выступила на стороне восставших североамериканских колоний, Франсиско записался в экспедиционный корпус, отправлявшийся в Новый Свет.

Весной 1781 года Миранда участвовал в осаде английской крепости Пенсакола во Флориде. В этой наземной и морской операции с обеих сторон сражались около десяти тысяч солдат. После двухмесячной осады и ожесточенных боев 10 мая 1781 года крепость капитулировала. Британцы потеряли свою главную военно-морскую базу в этом регионе и утратили контроль над территориями Флориды и Луизианы. Это было огромным подспорьем для сражающейся армии Вашингтона, находившейся под постоянным давлением английских войск и флота.

Пенсакола принесла Миранде долгожданные эполеты — он был произведен в подполковники и стал адъютантом губернатора Кубы. Отсюда Миранда руководил торговыми и военными поставками для Соединенных Штатов, что дало многим историкам повод весьма высоко оценить вклад венесуэльца в победу Американской революции.

Не прошло и двух лет, как свободолюбивый подполковник попал в поле зрения священной инквизиции. В Мадрид отпра-

Форт Пенсакола (1765)

вился донос на ста пятидесяти пяти листах, обвинявший Франсиско в «конспиративной деятельности, хранении запрещенной литературы и непристойных картин». Помимо политических грехов Миранде вменялись и должностные преступления. В один миг превратившийся из героя во врага испанского короля и церкви, Франсиско был вынужден ночью бежать в Соединенные Штаты на маленьком контрабандном суденышке. Позднее он узнал, что приговорен судом в Гаване к десяти годам каторги с исполнением приговора в одной из тюрем Северной Африки.

Первая республика Нового Света, которой Миранда помог завоевать независимость, дала приют испанскому офицеру. Героя Пенсаколы ждал радушный прием в тогдашней столице Соединенных Штатов Филадельфии. Один из первых визитов он наносит графу Редону, испанскому послу в США. Ничего не подозревавший о причинах отъезда Миранды из Гаваны, посол с истинно кастильским радушием предлагает офицеру поселиться в его особняке. Более того, Редон представил его президенту республики Джорджу Вашингтону.

Со времени прибытия в Соединенные Штаты Франсиско Миранда начал вести подробный и обстоятельный дневник, в котором детально описывал американские общественные и политические учреждения, состояние мануфактур и торговых предприятий республики. Впоследствии дневник Миранды назовут уникальной летописью эпохи. Президент Вашингтон провел с «союзником» не один вечер, беседуя о военном искусстве и состоянии дел в американских колониях Испании. Вскоре приятные беседы пришлось прервать. Граф Редон получил сведения, что его обаятельный протеже осужден испанским трибуналом, разжалован и, по существу, является беглым каторжником. Граф всерьез опасался не только за собственную голову, но и за будущее своей семьи, и попросил Франсиско покинуть посольство. На прощание Миранда попросил у дипломата «отступные» в шестьсот песо.

«В 1784 году в городе Нью-Йорке родился современный план добиться свободы и независимости всего испано-американского континента», — записал в дневнике Франсиско Миранда. Тридцатитрехлетний венесуэлец наконец обрел благородную мечту. Подобно генералу Вашингтону, он должен поднять знамя восстания в испанских колониях Нового Света. С этой идеей он ездит из штата в штат, беседует со многими влиятельными политиками. Идея еще одной освободительной войны в Америке находит сочувственные отклики у некоторых государственных мужей США, но больших денег Миранда не получил. Тогда странствующий рыцарь отправился по другую сторону Атлантики.

За два года Франсиско Миранда, исколесил всю Европу, сменив десятки имен и адресов. За опасным «пророком латиноамериканской революции» по пятам следуют агенты испанского короля и инквизиции. Но идея борьбы за далекие экзотические земли так и не воспламенила умы европейских банкиров и политиков. Летом 1786 года Миранда получил (точнее, купил) у австрийского посланника в Греции паспорт с графским титулом — давнишнюю мечту его отца. Через Константинополь новоиспеченный аристократ прибыл в только что построенный русский порт Херсон в нижнем течении Днепра.

В бумагах графа де Миранды история его пребывания в Российской империи занимает значительное место. Один из лучших мемуаристов своего времени, он оставил живые и подробные картины быта и нравов екатерининской эпохи: непролазную грязь и общую неустроенность жизни на новых землях, и в то же время — стремительно растущие поселения и крепости, порты и верфи. Франсиско отметил, что население Херсона превысило сорок тысяч душ, тогда как несколько лет назад «тут не было ничего, кроме двух рыбачьих хижин». Городу отводилась особая роль в экспансии России на юг. В главном соборе «Нового Херсонеса» Екатерина II намеревалась короновать своего внука Константина на византийский престол. Третий Рим мечтал вернуть себе Второй, а заодно и проливы, ведущие в Рим Первый.

Дневник Миранды пестрит именами, составившими не одну замечательную страницу русской истории. Остановившись в

Нью-Йоркская ратуша

доме херсонского губернатора князя А. И. Вяземского (отца впоследствии знаменитого поэта и друга Пушкина П. А. Вяземского), он сводит знакомство с неаполитанцем на русской службе полковником де Рибасом, будущим основателем Одессы. Через де Рибаса, адъютанта Потемкина, он попадает в круг доверенных лиц «Светлейшего князя Таврического».

В карете Потемкина (особая честь!) Миранда совершает с князем поездку по завоеванному Крыму, встречается с генерал-аншефом Суворовым и командиром егерского корпуса М. И. Кутузовым. В подаренном Вяземским полушубке Франсиско едет по заснеженным просторам Украины, в Киеве на деньги де Рибаса шьет мундир испанского полковника, самолично повысив себя в звании. В расшитом золотом испанском мундире, при шляпе с плюмажем и серебряной шпаге, он был представлен самой Екатерине II. Императрица удостоила венесуэльца особым вниманием. Миранда приводит отзыв французского посла графа де Сегюра: «...назвал меня выдающимся царедворцем, ибо за короткий срок я добился того, что государыня проявила ко мне интерес, тогда как некоторых именитых иностранцев в течение месяца не удостоила ни единого словечка».

Мадридский двор заявил протест по поводу пребывания в русской столице самозванца и опасного вольнодумца Миранды. Поверенный в делах Испании в Петербурге Педро де Маканас потребовал у Франсиско патенты, свидетельствовавшие о его правах на графский титул и звание полковника королевской армии. Миранда ответил испанцу письмом, в котором указывал, что не является его подчиненным. Действительно, к этому времени

Екатерина II предложила венесуэльцу носить мундир полковника кавалерийского полка, шефом которого был сам Потемкин.

В те времена в России перебывало немало искателей приключений с громкими именами. «Неотразимый» Казанова безуспешно пытался привлечь внимание царицы. А «полковника на испанской службе» графа Калиостро попросту выдворили из России. Историки ломают голову, что заинтересовало Екатерину в Миранде. «Было бы жаль отдавать такого человека на заклание инквизиции», — произнесла Семирамида Севера. При дворе даже ходили слухи о близости императрицы с галантным и привлекательным испанским графом, ибо его поселили в непосредственной близости от царских покоев. Дневник опытного конспиратора, порою весьма подробный, не раскрывает дворцовые тайны. Некоторые из российских и американских историков предполагают, что в Петербурге в то время планировали одну из экспедиций к берегам Америки с участием Миранды.

Предприятие, по масштабу превосходящее экспедицию Беринга, готовилось со всей серьезностью. Капитан 1-го ранга Г. Муловский, принимая эскадру, получил приказ утвердить «права на земли, российскими мореплавателями открытыя на Восточном море, защитить торги по морю между Камчаткою и западными американскими берегами лежащему, яко собственно и единственно к Российской державе принадлежащие...» Беглый полковник Миранда мог оказаться весьма подходящей кандидатурой для территорий, на которые предъявляла права «корона Гишпанская».

Екатерина была настроена весьма решительно. Капитан Муловский имел полномочия «торжественно поднять Российский флаг по всей урядности» на территории Америки, а если встретятся какие-либо поселения чужеземцев, «то имеет вы право разорить, а знаки и гербы срыть и уничтожить». Из мемуаров Миранды известно, что венесуэлец посетил Кронштадт и наблюдал за приготовлениями к походу. В Мадриде по поводу «русской угрозы» нарастала нервозность. Секретная инструкция короля Карла III Государственному совету от 8 июля 1787 года предписывала мексиканским властям проявлять бдительность в отношении русских и ускорить колонизацию в калифорнийском направлении. Отправке русской экспедиции помешала начавшаяся война с Турцией, а в дневнике Миранды появилась запись: «...сам дьявол не разберется в этом придворном хитроумии...»

От Пиренеев до Флориды и от Нью-Йорка до Москвы пролегли дороги венесуэльца. Екатерина II, единственная из европейских монархов, выделила полковнику десять тысяч рублей векселями и золотом на подготовку восстания против испанцев в их заморских владениях. Императрица распорядилась также оплатить все счета графа в России. С охранной грамотой — надежным русским паспортом на имя ливонского дворянина Франца Мерова — южноамериканец вновь колесит по европейским столицам. Падение Бастилии и звуки «Марсельезы» на парижских улицах привели заговорщика во Францию.

Появление Франсиско в стане революционеров вызвало крайнее раздражение Екатерины II; императрица даже лишила его своего высочайшего покровительства. К этому времени венесуэлец — победоносный генерал республиканской армии, которая изгнала австрийских интервентов за пределы Франции и очистила от прусских войск Бельгию. Генерал Миранда руководил успешной осадой и взятием Антверпена. Но через несколько месяцев военная удача изменила французам. Главнокомандующий Северной армией генерал Дюмурье оказался предателем и перебежал к австрийцам, а его заместитель Франсиско Миранда потерпел серьезное поражение под Маастрихтом. Венесуэльца отозвали в Париж держать ответ за предательство Дюмурье, за свои и чужие военные неудачи.

С генеральского мундира Франсиско сорвали знаки отличия и отправили в тюрьму Консьержери — место, где содержалась до казни Мария-Антуанетта и откуда мало кто выходил на свободу. Якобинские вожди Марат и Робеспьер требовали отсечения головы «врага народа» Миранды. Один из друзей венесуэльца тайком передает ему в тюрьму порцию яда. Но еще один счастливый для Франсиско поворот истории — через полтора года на гильотину отправили не его, а Робеспьера со товарищи.

Именующий себя «Полномочным представителем городов и провинций Южной Америки», Миранда вновь возвращается в Соединенные Штаты. Он встретился с президентом Т. Джефферсоном и государственным секретарем Дж. Мэдисоном. Последний заявил венесуэльскому патриоту, что американское правительство благосклонно относится к его планам освободительной экспедиции в испанские колонии, но в прямой военной помощи отказал.

В начале 1806 года Миранде удалось зафрахтовать в Нью-Йорке 16-пушечный корабль и начать вербовку добровольцев. Франсиско Первый грезил гигантской империей, вытянувшейся от устья Миссисипи до самой оконечности Южной Америки, именуемой Колумбией. Название это осталось в истории как имя одного из государств, равно как и желто-сине-красный триколор Миранды — будущий национальный флаг Венесуэлы. (Примечательно, что Венесуэла стала первой страной Латинской Америки, с которой Россия впоследствии обменялась дипломатическими посланиями, а первым консулом, представлявшим интересы Венесуэлы в Петербурге, стал купец первой гильдии, по часам которого жила вся Россия, — Павел Буре.)

В экспедиции участвовали 192 волонтера. Среди них были такие колоритные фигуры, как восемнадцатилетний Дэвид Бернет, в будущем президент отделившейся от Мексики независимой республики Техас и Уильям Смит, внук президента США Джона Адамса, в будущем секретарь первого американского посольства в России. Борцы за свободу высадились на побережье Венесуэлы и захватили крепость Коро. Однако темное и забитое местное население не поддержало призывы к восстанию. Через десять дней, разбитый испанцами, Миранда вынужден вновь покинуть родину. Его корабль направился на карибский остров Аруба, принадлежавший Голландии. Сама Голландия была оккупирована Наполеоном, поэтому Миранда счел возможным, в свою очередь, оккупировать Арубу («указав выскочке Бонапарту его место», как писали британские газеты).

В конечном итоге несостоявшийся глава «Великой Колумбии» осел в Лондоне, чтобы продолжить свою конспиративную деятельность. Испания еще не один год будет требовать от Соединенных Штатов возмещения убытков, причиненных нью-йоркской экспедицией.

Одни называли его «Дон Кихотом свободы», другие — смутьяном и авантюристом. Испанцы считали его изменником и секретным агентом англичан, англичане — агентом американцев, американцы считали шпионом русских, а русские, соответственно — французов.

Конец жизни «короля конспираторов» оказался не менее бурным. После Тильзитского мира с Россией Наполеон обратил свои взоры на пиренейский полуостров. Добившись отречения испанского короля, Бонапарт отдал мадридскую корону своему брату Жозефу. По новой конституции население американских колоний уравнивалось в правах с населением Испании. В 1810 году в столице Венесуэлы Каракасе вспыхнуло восстание против испанцев, и была провозглашена независимая республика. Постаревший, но по-прежнему пылкий дон Франсиско инкогнито покидает Лондон, чтобы вновь ринуться в бой. В Каракас он въезжал в мундире французского генерала на красивом белом коне.

Миранду произвели в генералиссимусы Венесуэльской республики, позднее он был провозглашен диктатором. Но республиканская армия не смогла противостоять опытным испанским войскам. Спустя год с небольшим после провозглашения независимости Венесуэлы, Миранда подписал акт о своей капитуляции. Арест генералиссимуса и его выдачу испанским властям осуществил С. Боливар, его бывший соратник по революционной борьбе.

Личного врага Его католического величества короля Испании и божьего наместника на земле Папы Римского перевезли в порт Кадис, в крепость Ла-Карака, самую секретную тюрьму Испании. Перед арестом Франсиско успел переправить в Лондон свой обширный архив, который оказался затем утерян и счастливо обнаружен только в 1927 году.

Что вспоминалось шестидесятипятилетнему венесуэльцу, когда он, прикованный цепью за шею, завершал свои дни в мрачном застенке Кадиса? Беседы с президентом Вашингтоном, неспокойные воды Атлантики, дворцовые интриги Петербурга? Он воевал на четырех континентах — Африке, Европе, Северной и Южной Америке, — увидел и описал самые значительные события своего времени. Миранда — единственный американец, чье имя в числе победоносных полководцев Франции высечено на стене Триумфальной арки в Париже. В Латинской Америке в честь дона Франсиско Миранды названы площади и улицы, его именуют «Предтечей» национальной независимости. В Москве в 2000 году, спустя два с лишним столетия, перевели и опубликовали русские мемуары полковника Екатеринославского кирасирского полка графа де Миранды.

Хроника XIX столетия

1801–1809 — президентство Томаса Джефферсона

1802 — создана Военная академия Вест-Пойнт.

1802 — нападение алеутов на российскую Михайловскую крепость на острове Ситка (Аляска). Крепость сожжена, гарнизон уничтожен.

1803 — штат Огайо вошел в состав США.

1803 — покупка Луизианы. В результате сделки с Францией территория США увеличилась почти в два раза за счет земель к западу от реки Миссисипи, на которых в дальнейшем образовались восемь новых штатов.

1804 — заложен город Новоархангельск, столица Русской Аляски (ныне город Ситка).

1806 — архангельский купец К. Анфилатов отправил в США первых три русских торговых корабля.

БОРДЕЛЬ И МОЦАРТ

У самых знаменитых опер Моцарта имелся соавтор, поселившийся двести лет назад в захолустном американском городке Санбери и занимавшийся мелкой бакалейной торговлей. Ныне почти забытый Лоренцо Да Понте прожил восемь нескучных десятилетий. Он родился в то время, когда Америка еще была британской колонией, а «отцы-основатели» будущих Соединенных Штатов ходили в школу. Да Понте жил среди самых знаменитых людей своего времени, о чем поведал в обширных мемуарах. На склоне лет он основал первый в США оперный театр и был самым ярким пионером европейской культуры в Новом Свете.

Да Понте родился 10 марта 1749 года в семье еврейского дубильщика Конельяно на задворках Венеции. Мать Эмануэле, как звали мальчика, рано умерла, отец вскоре женился на католичке и вместе со всей семьей принял крещение. Старший из сыновей, четырнадцатилетний Эмануэле, по обычаям того времени, получил новое имя в честь местного епископа, некого Лоренцо Да Понте. Епископ принял участие в судьбе крестника — помог развить его способности, посодействовал тому, чтобы Лоренцо учился в семинарии.

Юноша между тем оказался истинным сыном Венеции, этого всеевропейского города интриг и увеселений. Во времена Да Понте Венеция в последний раз пережила не только расцвет торговли и искусств, но и самый яркий «карнавал утех». Готовившийся стать священником, Лоренцо одновременно учился музыке, писал озорные стихи и не был чужд плотским развлечениям. Во многом он походил на своего старшего друга Казанову, с той лишь разницей, что у Да Понте не было ни богатства, ни титула.

В двадцать четыре года Лоренцо стал аббатом и профессором риторики в семинарии Тревизо. Впрочем, профессорская карьера оказалась короткой — сказался авантюристический склад его натуры. Да Понте зарабатывал не столько лекциями, сколь-

Лоренцо Да Понте

ко содержанием публичного дома для аристократов. Зачастую, одетый в красную аббатскую сутану, хозяин лично развлекал клиентов игрой на скрипке. Но увольнение падре из семинарии и возбуждение против него уголовного дела было вызвано отнюдь не фривольным образом жизни — Венеция видела и не такое. Весь город читал и разучивал ходившие в списках сатирические стихи Да Понте, направленные против власть имущих. Высокий суд приговорил остроумца к изгнанию из пределов венецианской республики на пятнадцать лет — правда, в момент вынесения приговора Лоренцо уже был вдалеке от вод Адриатики.

В 1782 году Вена была взбудоражена визитом Папы Римского Пия VI, который хотел склонить императора Иосифа к отказу от церковных реформ. Около двухсот тысяч зрителей наблюдало за въездом понтифика в австрийскую столицу. Туфли Папы передавались из одного аристократического дома в другой, по старинному обычаю их целовали. В эти бурные дни осталось незамеченным событие, которому было суждено сыграть огромную роль в развитии оперного искусства. С рекомендательным письмом одного из венецианских драматургов беглый аббат предстал перед Антонио Сальери, капельмейстером Венской императорской оперы. Придворный композитор оценил способности Да Понте и, в частности, его редкий дар стихосложения. Венецианец был представлен австрийскому императору Иосифу II. Языки греческий, латынь, иврит, итальянский, блестящий ум и острое перо вкупе с рекомендацией Сальери доставили Лоренцо пост придворного поэта и либреттиста.

Невероятным образом бывший содержатель борделя, вдобавок не имевший никакого серьезного литературного опыта, оказался в центре культурной жизни Вены. Помимо природного обаяния и само время помогало Лоренцо. Именно в эти месяцы подходил к концу неудавшийся эксперимент с немецкой оперой, и осенью 1782 года была вновь открыта итальянская опера во главе с маэстро Сальери. Согласно легенде, когда императору Иосифу сказали, что новый придворный либреттист никогда не писал оперные либретто, тот ответил: «Это неважно, у нас будет муза-девственница».

«Встреча Моцарта и Лоренцо Да Понте была для обоих ниспосланной свыше. Аббат искал музыканта, Вольфганг — поэта. Случилось так, что в этих обстоятельствах они отлично подошли друг другу. — писал биограф Моцарта Марсель Брион, — Очень редки примеры сотрудничества, в котором гений поэта был бы равен гению музыканта: Дебюсси и Метерлинк, Рихард Штраус и Гофмансталь…» Первым совместным творением Моцарта и Да Понте стала опера «Женитьба Фигаро». Именно Да Понте добился от императора разрешения на постановку «вольнодумной» оперы на венской сцене в 1786 году. Моцарт в то время был в немилости у матери-императрицы Марии-Терезии и его обязанности при дворе ограничивались сочинением танцев для маскарадов. «Женитьба Фигаро» имела столь большой успех в столице, что Иосиф II даже распорядился ограничить число вызовов на бис.

Специалисты утверждают, что в сотрудничестве с Да Понте Моцарт создал оперы, относящиеся к величайшим образцам своего жанра. Это был тот редкий случай, когда качество либретто приближалось к уровню музыки Моцарта. В строках венецианца оживал «галантный» XVIII век, его поэзия отличались не выспренностью, не меланхолией, не безликой торжественностью, которая была тогда в моде, а жизненностью, лукавством, образностью языка ее интеллектуального и саркастичного создателя.

Следующей плодотворной работой великого Амадеуса и аббата-расстриги стал «Дон Жуан», поставленный в Праге в 1787 году. Да Понте рассказал в своих «Мемуарах», как создавалось знаменитое либретто. Вольфганг и Лоренцо поселились на одной улочке в Праге и окна их квартир смотрели друг на друга. В течение всей феноменально быстрой работы — всего несколько недель — композитор и поэт обменивались идеями через окно. Да Понте усаживался за рукопись ранним утром с бутылкой токайского вина. Если силы покидали поэта, то по его заказу являлась прелестная девушка с чашкой горячего шоколада. Лоренцо утверждал, что для того, чтобы закончить работу над очередным литературным произведением, ему непременно нужно иметь

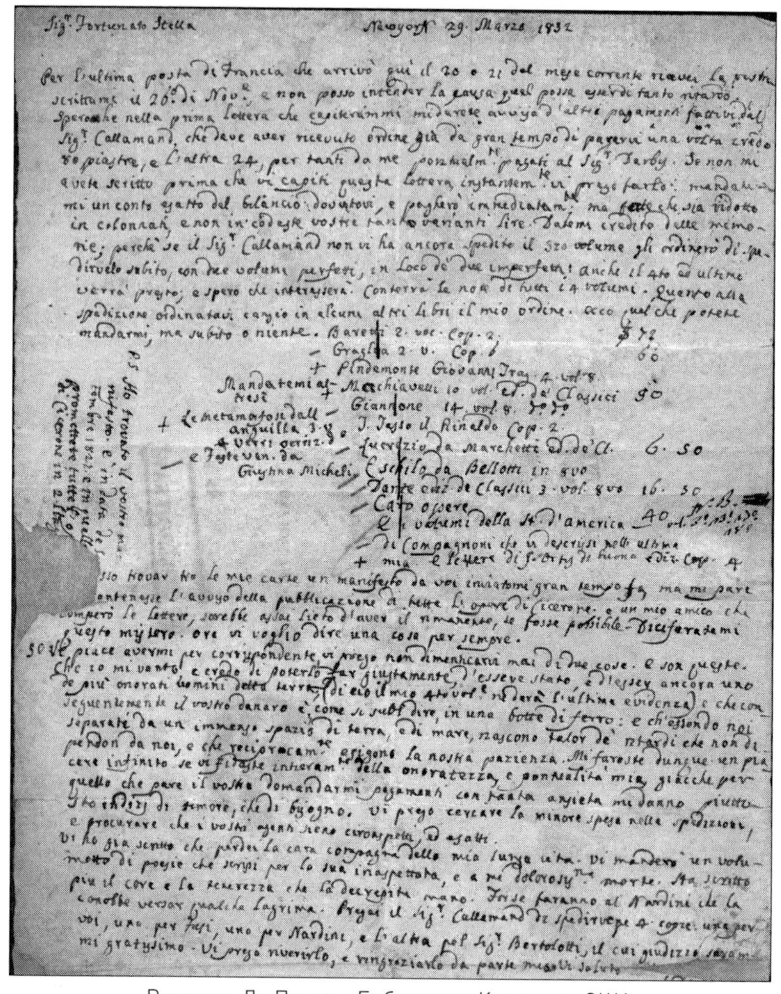

Sig.r Fortunato Stella New York 29 Marzo 1832

Рукопись Да Понте в Библиотеке Конгресса США

под рукой молодую любовницу. В своих мемуарах он утверждает, что в либретто для бессмертных опер Моцарта вложено немало его телесных сил.

Если в сюжете «Дон Жуана» многие видят историю Джакомо Казановы, с которым Лоренцо общался в Праге, то третье либретто для Моцарта иногда называют автобиографией венецианца. Плут и жуир, острослов и вольнодумец Да Понте создал в комической опере «Cosi fan tutte» («Так поступают все») яркий портрет «галантной эпохи».

В 1791 году Моцарт умер, а дерзкий Да Понте впал в немилость у нового императора Леопольда II и вскоре получил отставку. Он был автором в общей сложности тридцати шести пьес и сотен сонетов, но остался в памяти как соавтор непревзойденного «моцартовского триптиха» — «Женитьбы Фигаро», «Дон Жуана» и «Так поступают все или Школа влюбленных».

Лоренцо Да Понте некоторое время жил в Лондоне, где пытался сотрудничать с несколькими театрами. Дела шли из рук вон плохо. И тогда венецианец совершил очередной кульбит: в 1805 году он поднялся на борт парусника «Коламбия», отправлявшегося в Америку. Его тощий багаж состоял из скрипки и чемодана с книгами.

В Соединенных Штатах Да Понте прожил больше чем где-либо, тридцать три года. На своей новой родине он занимался не менее активной антрепренерской деятельностью, но был далек от прежнего успеха. Одно время друг Сальери и Казановы давал частные уроки итальянского, держал бакалейную лавку в Нью-Джерси и пытался продавать лекарства в Пенсильвании.

На закате дней «Лоренцо Великолепный» издал в Нью-Йорке мемуары в трех томах, в которых есть признание: «Моя жизнь удалась в жанре трагикомедии». Отец пяти детей, бывший придворный поэт блистательной Вены расфасовывал в убогой лавке чай и табак и развозил в стареньком фургоне заказы по домам.

Мемуары Да Понте были переведены на английский только спустя сто лет после смерти автора. Усмешка Лоренцо проглядывает среди многих пассажей книги. Америка в то время не могла оценить его таланты, а итальянский язык был здесь «столь же известен, сколь турецкий или китайский». Но Да Понте описывает жизнь крошечного городка Санбери, затерявшегося в пенсильванской глубинке, с не меньшей симпатией, чем быт и нравы Венеции, Вены или Праги.

Будучи блестящим гуманитарием, он оказался весьма посредственным бизнесменом. Одно время, отчаявшись получить плату со своих клиентов, бывший либреттист стал брать по обмену от фермеров-должников натуральные продукты. Как пишет Лоренцо, вскоре его дом в Санбери оказался доверху полон шкурами, медом, сухофруктами, зерном и другими дарами Пенсильвании.

Его американская биография была в чем-то схожа с судьбой многих иммигрантов. Но Да Понте не затерялся в «плавильном

Старый дом в Санбери

котле»; он оказался одним из первых ярких представителей европейской культуры в Новом Свете. На склоне лет венецианец вновь обратился к преподаванию — в 1830 году семидесятилетний Лоренцо Да Понте стал первым профессором итальянского языка и литературы Колумбийского университета. Его по праву считают одним из основателей классического филологического образования в США.

За свою работу профессор не получал жалованья — преподавание «современных языков» не входило в обязательную программу университета. Он продолжал зарабатывать на жизнь частными уроками (насчитали около двух тысяч его учеников) и продажей европейских книг. Да Понте с горькой иронией писал, что посетители в его книжную лавку зачастую попадают по ошибке, не в поисках Данте или Петрарки, а в надежде купить неаполитанское печенье. Тем не менее сотни импортированных профессором томов составили начало итальянской коллекции Нью-Йоркской публичной библиотеки и библиотеки Колумбийского университета. Там же в Нью-Йорке он создал книгу великолепных сонетов и солидный двухтомный труд «Флоренция времен Медичи».

Сохранился портрет Да Понте американского периода: из рамы глядит почтенный старец, по прежнему полный жизненной энергии. Создатель картины оказался под стать портретируемому — Сэмюель Морзе, впоследствии забросивший кисть художника, чтобы стать всемирно известным создателем телеграфа. Фортуна в те времена была особенно изобретательна.

Последним в бесконечной череде предприятий американского гражданина Да Понте стала организация и строительство в Нью-Йорке оперного театра, первого в истории США. В

1833 году театр открылся постановкой «Севильского цирюльника» с приглашенными итальянскими исполнителями, но на нью-йоркскую публику скорее произвел впечатление интерьерами с обнаженными античными богинями и новомодным газовым освещением. В заранее купленной ложе на каждом представлении появлялся некий граф де Сюрвилье — не кто иной как эмигрировавший в США брат французского императора Жозеф Бонапарт.

Да Понте уже мечтал о возвращении к карьере театрального поэта и импресарио. Но его последнее детище — оперный театр — выдержал всего двадцать восемь представлений, став для итальянца полным фиаско (само здание оперы сгорело спустя несколько лет).

Лоренцо Да Понте умер 17 августа 1838 года в унизительной бедности, в нескольких кварталах от заколоченного здания своего театра. Его не обозначенная могила на одном из нью-йоркских кладбищ со временем затерялась. Такая же посмертная история когда-то случилась и с его другом Моцартом.

Хроника XIX столетия

1809–1817 — президентство Джеймса Мэдисона.

1809 — установление дипломатических отношений между Россией и США. Первым российским послом в Америке стал граф Ф. П. Пален, американским послом в Петербурге — Джон Куинси Адамс (будущий 6-й президент США)

1812 — штат Луизиана вошел в состав США.

1812 — основан форт Росс — первое русское поселение в Калифорнии (севернее залива Сан-Франциско).

1812–1814 — Англо-американская война. Американские каперы нанесли значительный урон британскому флоту, англичане в ответ захватили Вашингтон и сожгли Белый дом.

1814 — Фрэнсис Скотт Ки создал поэму «Усыпанное звездами знамя» — впоследствии текст национального гимна Соединенных Штатов.

ЦЕПИ ГИМЕНЕЯ

Однажды хозяйка одного из парижских салонов задала молодому, но уже знаменитому генералу Бонапарту, игривый вопрос: какую женщину он считает величайшей в истории. Наполеон не замедлил с ответом: «Ту, сударыня, которая нарожала больше всего детей».

Мать будущего императора Франции, корсиканка Летиция Буонапарте, родила тринадцать детей (из них пятеро умерли в младенчестве). Семь братьев и сестер Наполеона остались в тени второго сына Летиции, их политическая роль незначительна, несмотря на громкие титулы, подаренные братом-императором. По прихоти истории в летописи Бонапартов заметное место заняла американская глава.

В 1802 году в порту Норфолк в Вирджинии пришвартовался французский бриг «l'Epervier» под командованием лейтенанта Жерома Бонапарта, младшего отпрыска знаменитой семьи. Восемнадцатилетний Жером, которому Наполеон прочил карьеру флотоводца, отличался не только ветреностью, но и завидным даже среди Бонапартов умением транжирить деньги. Молодой офицер должен был доставить из Мартиники в Париж депеши командующего французской эскадрой, но, преследуемый английскими фрегатами, укрылся в нейтральной американской гавани.

Лейтенант отправился в Вашингтон, разыскал французского посланника Пишона и дал ему два поручения: найти подходящий торговый корабль под нейтральным флагом и ссудить лично ему, Жерому, большую сумму денег. В ожидании попутного корабля младший Бонапарт проводил время в путешествиях по стране и всевозможных увеселениях.

Французы как никогда были популярны в Соединенных Штатах. Колонисты, которые двадцать пять лет назад порвали с Англией и образовали собственную республику, не забыли об активной помощи Франции, а именами Лафайета и других героев Американ-

Жером Бонапарт

ской революции называли города, школы и графства в Новом Свете. Молодого офицера, щеголявшего то во французской морской форме, то в блестящем гусарском мундире, принимали в лучших домах Филадельфии и Балтимора. Пишон, генеральный консул Франции, приходил от подобного поведения в ужас, ибо в его задачу входило переправить брата Наполеона за океан инкогнито — английская разведка уже открыла охоту на Жерома.

Тем временем Бонапарт-младший отчаянно флиртовал с местными красавицами, облегчил посольскую казну на десятки тысяч франков и всячески затягивал свой отъезд из Америки. В конечном итоге Пишон узнал шокирующую новость, грозившую поставить крест на его дипломатической карьере. Жером объявил консулу о своем намерении жениться и потребовал на свадебные приготовления изрядную сумму. Избранницей Бонапарта оказалась восемнадцатилетняя Элизабет Паттерсон, дочь балтиморского судовладельца. Бетси, как все звали девушку, не смогла устоять перед блестящей, «наполеоновской» атакой молодого офицера. Она немного изъяснялась по-французски, Жером не знал по-английски ни слова.

Как только за женихом закрылась дверь, генеральный консул погрузился в изучение гражданского законодательства своего отечества и обнаружил, что ни один француз не может вступить в брак без согласия родителей, пока не достигнет возраста двадцати пяти лет. Весь мир знал, что Наполеон рассматривает семейные дела как династические, и женитьба Жерома на безродной дочери американского торговца вызовет страшный гнев по ту сторону Атлантики. Генеральный консул срочно отправил запрос в Париж, а также соотнесся с главами дружественных Франции дипломатических представительств в США с настоятельной просьбой не ссужать Жерома деньгами.

В тонких политических маневрах прошло несколько недель. Пишон ожидал, что молодой Бонапарт не сможет долго обхо-

Тройной портрет Бетси Паттерсон

диться без содержания (известен случай, когда Жером истратил десять тысяч франков на чемоданчик с лосьонами для бритья). В Балтиморе к тому времени пришвартовался французский фрегат с депешей Наполеона, но младший брат по-прежнему отказывался покинуть гостеприимный американский берег. С другой стороны, отец и мать невесты, напуганные перспективами неудачного союза, увезли Бетси подальше от греха в вирджинскую глубинку. Девица оказалась не менее строптивой и заявила, что «предпочитает стать супругой Жерома Бонапарта хотя бы на один час, чем женой любого другого мужчины на всю жизнь». Как выяснилось позднее, Пишон также недооценил таланты Жерома как заемщика.

В рождественский сочельник 1803 года в Балтиморе состоялась церемония, красноречиво свидетельствовавшая как далеко продвинулись франко-американские отношения. Судя по отзывам прессы, балтиморцы были немало озадачены обликом новобрачных: напудренного Бонапарта окутывали алые шелка, скрепленные бриллиантовыми застежками, а юная невеста красовалась в таком коротком платье, что «оно могло уместиться в кармане мужа». Бетси была протестанткой, но таинство совершил архиепископ католической церкви Балтимора Джон Кэррол. Генеральный консул на свадьбе не присутствовал ибо занят был делом не из приятных — составлением подробного отчета о происшедшем для французского министерства иностранных дел.

Из Парижа незамедлительно пришли новые инструкции: брак считать недействительным, Жерома вернуть на родину, французским капитанам воспрещалось брать на борт «молодую особу, именуемую Элизабет Паттерсон». Пишон неоднократно пытался заманить блудного Бонапарта на борт французского корабля без сопровождения жены, но все было тщетно. В конечном итоге молодая пара отправилась в Европу на одном из быстроходных клиперов, построенных по заказу тестя. Капитану судна удалось ускользнуть от британских патрулей в Атлантике. Бетси в том плавании сильно тошнило. Причиной тому оказалась не только морская болезнь.

Еще до прибытия брата Наполеон опубликовал декрет, расторгавший «фиктивную женитьбу несовершеннолетнего Жерома, зарегистрированную в иностранном государстве без согласия его матери». Имперские чиновники повсюду получили соответствующую инструкцию, чтобы никакие записи этой церемонии не появлялись в их реестрах. В последующем декрете объявлялось, что любые дети от этого союза должны рассматриваться как незаконнорожденные.

Весной 1805 года корабль Паттерсонов достиг Лиссабона, почти через два года, как Жером отбыл в Новый Свет в качестве младшего офицера и холостяка. Португалия находилась под французским контролем. Береговая охрана окружила судно, и консул Франции взошел на борт с вопросом, что он мог бы сделать для «миссис Паттерсон». Бетси не потеряла присутствия духа и заявила, что «мадам Бонапарт» обладает всеми привилегиями члена императорского семейства. Консул, не меняясь в лице, сообщил, что «миссис Паттерсон» запрещено высаживаться на берег во Франции, Испании или Португалии. Ее спутнику дан приказ следовать в Париж. Жерому ничего не оставалось делать как покориться. Он отправил корабль в Амстердам, рассчитывая там воссоединиться с супругой после личной встречи с императором.

Семейный деспот Наполеон отказывался видеть брата, если тот не примет всех его условий. Отступнику даже угрожали трибуналом за «дезертирство» в Америку. Наполеон попросил Папу Пия VII аннулировать этот брак, подкрепив просьбу щедрым подарком — золотой диадемой с рубинами и бриллиантами. Но Его католическое святейшество взял под защиту протестантку Бетси Паттерсон. Когда же впоследствии папа отказался аннулировать брак самого Наполеона с Жозефиной, император отправил войска в Рим и перевез Пия VII во Францию, где тот находился на положении почетного пленника.

Жером в конечном итоге смирился со своей участью и отправил императору покаянное письмо. Развод младшего Бонапарта был оформлен через парижскую мэрию. Бетси, так и не дождавшись своего благоверного в Амстердаме, перебралась в Англию и родила там сына. Племяннику императора дали имя Жером-Наполеон, но это не растопило сердце повелителя Европы. Из Парижа пришло предложение: выплачивать Элизабет Паттерсон приличное ежегодное содержание при условии ее возвращения в родной штат Мэриленд. Бетси так и осталась «мадам Бонапарт на час».

Прощенный Жером был сделан монархом. В 1807 году Наполеон создал для него в центре Европы крупное государство — Вестфальское королевство. В его состав вошли немецкие земли Гессен, Брауншвейг, Нассау и часть Ганновера с общим населением в два миллиона человек. Наполеон также уплатил всем кредиторам Жерома и устроил его брак с Екатериной-Фредерикой, принцессой Вюртембергской. В первый и единственный раз в жизни младший Бонапарт покинул Париж свободным от долгов.

Подданные немцы прозвали Жерома «веселым королем». Вестфальский монарх любил театр, особенно молоденьких актрис. В балетной сцене в «Женитьбе Фигаро» он танцевал главную партию под звуки кастаньет. Перерасходовав цивильный лист на два миллиона франков, младший Бонапарт попросил помощи у императора. Наполеон ответил брату: «Продай мебель, продай лошадей, продай бриллианты». Его американская жена, возвратившись в Балтимор, не стала дожидаться новых политических спектаклей и добилась аннулирования брака через легислатуру штата Мэриленд.

Однажды в балтиморский дом Паттерсонов пришло письмо с немецкими коронами на сургуче. Жером приглашал бывшую супругу приехать в Вестфалию, где он обещал ей княжество с большим доходом, а сыну — титул принца. «Хотя Вестфалия, несомненно, является большим королевством, — ответила Бетси, — эта страна недостаточно велика для двух королев». Впрочем, Жерому и Бетси предстояло увидеться еще один раз.

Спустя короткое время в Соединенных Штатах оказался другой Бонапарт. Джузеппе, более известный как Жозеф, был первенцем в знаменитом семействе. Еще до того как оперился младший его на три года Напольоне, Жозеф пытался играть самостоятельную роль в политике и на его плечи легли многие лишения, поначалу сопровождавшие клан корсиканских эмигрантов. Интересно, что два старших брата одновременно ухаживали за сестрами Клари, дочерьми марсельского торговца шелком. Брак Жозефа с Жюли Клари и приданое супруги помогли Бонапартам выбраться из многолетней нищеты. Наполеон расстался со своей невестой Дезире Клари, выбрав звезду парижских салонов аристократку Жозефину Богарне. Никому тогда не могло придти в голову, что плачущая купеческая дочь, которую он без сожаления оставил в провинции, станет уже после отречения и ссылки Наполеона королевой Швеции и Норвегии, родоначальницей правящей по сей день шведской королевской династии.

Жозеф участвовал в походах брата, возглавлял Сенат и заключал договоры от имени Франции. Наполеон сначала сделал Жозефа королем Неаполитанским, а затем посадил его на испанский трон. Летицию Бонапарте как-то спросили, что она думает по поводу такого взлета ее детей. Умудренная годами женщина ответила: «Все это очень хорошо, пока будет продолжаться».

После краха Наполеона корсиканскому семейству вновь пришлось познать вкус эмиграции. В июле 1815 года бывший «король Испании и Индии» с паспортом на имя месье Бушара бежал в США. Жозеф предлагал Наполеону свое место на корабле. Братья были похожи, и трюк с переодеванием не выглядел откровенной авантюрой. В последний момент Наполеон посчитал подобную участь позорной для себя. Капитан американского брига «Коммерс», получивший солидное вознаграждение, до конца рейса полагал, что везет в эмиграцию не старшего брата императора, а французского математика Л. Карно.

Благодаря тому, что Жозеф заблаговременно позаботился перевести за океан большие суммы — итог расчетливых капиталовложений в Неаполе и Мадриде — он смог с комфортом устроить свою жизнь в Новом Свете. Экс-король поселился в городке Бордентаун, штат Нью-Джерси. Жозеф поначалу скрывался под именем графа де Сюрвилье, но американцы упорно называли его мистером Бонапартом. Корсиканец стал владельцем обширного поместья Пойнт-Бриз на берегу реки Делавэр, где разбил великолепный парк, во многом походивший на его любимый мадридский Эскориал: тенистые аллеи, цветники, мраморная скульптура, рукотворное озеро. Он собрал здесь миниатюрный двор из прежних камергеров и слуг.

В Европе напоминанием о былом величии старшего Бонапарта остался знаменитый мадридский музей Прадо, к созданию которого приложил руку король Жозеф. Его американский дом-дво-

Вид на старый Балтимор

рец украшали работы Мурильо, Рубенса, Каналетто, Веласкеса, Тициана — крупнейшая в то время художественная коллекция в Соединенных Штатах. К этому следует добавить, что книжное собрание Пойнт-Бриз превосходило библиотеку Конгресса США.

Жозефа называли первым королем Нью-Джерси. После смерти Наполеона он стал главой обширного семейного клана и надеждой бонапартистов. Бежавшие в Америку опальные французские генералы мечтали о возрождении империи в Новом Свете. Жозефу предложили мексиканский трон. Наследник мантии Наполеона ответил: «Я уже носил две короны и не сделал бы ни шагу, чтобы носить третью! Каждый день, который я провожу в этой гостеприимной стране, все более доказывает мне прелесть республиканских институтов».

В Пойнт-Бриз Жозеф принимал Элизабет Паттерсон с семнадцатилетним сыном, и в письмах матушке отозвался с похвалой о поведении, внешнем виде и приятных манерах американского племянника. Летиция признала в молодом человеке старшего сына Жерома (это означало разрешение носить фамилию Бона-

Жером-Наполеон Бонапарт

парт), и даже пошли разговоры о женитьбе балтиморца на дочери Жозефа.

Ветреный отец американского Бонапарта, король рассыпавшейся Вестфалии, после поражения при Ватерлоо скрывался в доме корсиканского башмачника в Париже. Затем Жером тайком пробрался в Вюртемберг к своей жене Екатерине. Суровый тесть, король Фридрих Вюртембергский, два года продержал супругов под арестом в одном из своих замков, добиваясь развода дочери. Екатерина ответила отцу письмом: «Выйдя замуж за короля, не зная его, под влиянием эпохи крупных политических интересов, я привязалась к нему. Теперь я ношу под сердцем его ребенка». Фридрих, в конце концов, сдался, Жером с супругой получил свободу, а русский царь Александр I, женатый на сестре Екатерины, даже назначил им пенсию.

В 1821 году во Флоренции, в галерее Питти младший Бонапарт случайно столкнулся с путешествовавшей по Европе Бетси Паттерсон. Они несколько секунд глядели друг на друга и не произнесли ни слова. Легенда утверждает, что бравый гусар Жером, не раз ходивший в кавалерийские атаки, просто сбежал из картинной галереи.

Старшая дочь Жозефа вышла замуж не за сына Элизабет Паттерсон (к великому неудовольствию Бетси), а за другого кузена Шарля (сына Люсьена Бонапарта, одного из братьев Наполеона). Шарль Бонапарт, зять Жозефа, был известен в Старом и Новом Свете как выдающийся ученый-натуралист. За десять лет жизни в Пойнт-Бриз он создал и опубликовал множество научных работ, в том числе четырехтомный труд «Птицы Америки».

В 1839 году состарившийся Жозеф распродал свое обширное американское имущество и вернулся в Италию (во Францию въезд Бонапартам был по-прежнему запрещен). Очередной владелец Пойнт-Бриз, английский консул, питавший откровенную ненависть к наполеоновскому семейству, до основания уничтожил все постройки корсиканца. Сегодня о пребывании старшего из Бонапартов в Америке напоминает лишь место на карте — небольшое озеро Бонапарт в верховьях штата Нью-Йорк, его бывшие охотничьи угодья. Изредка на самых дорогих американских аукционах всплывают остатки обширной коллекции «короля нью-джерсийского» — очень дорогие вещи отменного вкуса.

Элизабет Паттерсон умерла в Балтиморе в 1879 году в возрасте девяноста четырех лет. Несмотря на привлекательную в прошлом внешность и наследство от отца, она никогда более не вышла замуж. Бетси пережила своего непутевого избранника почти на двадцать лет. На ее могиле красуется надпись: «Побежденная Бонапартом».

Жером-Наполеон, американский отпрыск знаменитой семьи, как говорят, был внешне похож на своего дядю-императора. Он закончил Гарвардский университет, женился на уроженке Бостона Сюзан Мэй Уильямс, занимался адвокатской практикой в Балтиморе и вырастил двух сыновей. Его первенец, которого назвали Жером-младший, закончил военную академию Вест-Пойнт, служил в американской армии, затем был приглашен во французскую гвардию. За боевые заслуги во время Крымской войны он получил орден Почетного легиона.

Младший сын Чарльз по примеру отца окончил Гарвардский университет и сделал неплохую политическую карьеру в администрации президента Теодора Рузвельта. Он был главой военно-морского ведомства, затем генеральным прокурором США и стал известен как вдохновитель и создатель американского антитрестовского законодательства. В 1908 году по инициативе генерального прокурора Чарльза Бонапарта возникло федеральное Бюро расследований (прообраз нынешнего ФБР).

Паттерсоны взяли свой маленький реванш. По иронии истории вдова родного брата Бетси вторично вышла замуж за маркиза Уэлсли, старшего брата герцога Веллингтона, победителя Наполеона при Ватерлоо. Балтиморцы породнили заклятых врагов.

Хроника XIX столетия

1816–1821 — в состав американского Союза вошли шесть штатов: Индиана, Миссисипи, Иллинойс, Алабама, Мэйн, Миссури.

1817–1825 — президентство Джеймса Монро.

1817 — Соглашение между индейскими вождями и капитаном судна «Кутузов» Л. Гагемейстером от имени Российско-Американской Компании об уступке земель в Калифорнии.

1819 — первый закон об иммиграции в США.

1820 — Население Соединенных Штатов составило 9 638 453 человек.

1821 — указ императора Александра I о границах Русской Америки и ее территориальных водах.

1823 — провозглашение доктрины Монро — принципа разделения мира на американскую и европейскую сферы влияния.

НА СВЕТЕ НРАВСТВЕННОМ ЗАГАДКА

Федор Иванович Толстой — одна из самых ярких фигур русского общества первой половины XIX столетия. Он не был знаменитым писателем, не имел отношения к науками, не обладал важными титулами или должностями. И тем не менее о нем знали все те, кто имел хоть какое-то отношение к русской культуре.

Известность Федору Толстому принесли его собственное кругосветное путешествие и жизнь в Америке среди дикарей. Он был первым русским аристократом, который — не по своей воле — прожил некоторое время на североамериканском континенте. Толстой также прославился абсурдными пари, попойками, карточными проигрышами, бесчисленными дуэлями, а также тем, что каждый из корифеев российской словесности посвятил ему хотя бы несколько строк.

Детство Федора Ивановича Толстого прошло в отцовском имении в калужской губернии. После окончания Морского кадетского корпуса в Петербурге его зачислили в лейб-гвардии Преображенский полк. Служба не очень обременяла молодого человека и он искал острых ощущений. Узнав, что в столице строится воздушный шар, Федор захотел первым среди русских подняться в воздух. В назначенный день поручик самовольно покинул казармы. Но на его несчастье именно в тот день был произведен внеочередной смотр полка. Когда Федор к вечеру объявился с рассказом о приключениях в воздухе, его командир полковник Дризен из обрусевших немцев при всех отчитал его как мальчишку. Толстой вскипел и вместо оправданий плюнул Дризену в лицо. С огромным трудом полковник сдержался, чтобы не застрелить поручика на месте. Он вызвал Федора на дуэль, во время которой сам получил тяжелое ранение.

Толстому грозил суд и серьезное наказание. В это время его двоюродный брат и тезка — Федор Петрович Толстой (в будущем известный художник-медальер) — должен был отправиться

Федор Толстой

в кругосветное плавание с экспедицией Крузенштерна. Художник страдал от морской болезни и всячески пытался избежать столь длительного путешествия. Обоим братьям можно было облегчить участь, заменив на корабле одного Федора Толстого другим. В конце концов, это удалось сделать при помощи родственных связей, причем Крузенштерн не успел ничего узнать о подмене и оставил даже характеристику «медальера» Толстого. В корабельном журнале о нем говорилось как о «молодой, благовоспитанной особе, состоящей кавалером посольства в Японию». Эта «особа» проявила свой характер очень скоро.

Федор Толстой пытался на свой лад скрасить скуку долгого плавания. В одном из портов он купил себе орангутанга, с которым водил нежную дружбу. Зрелище графа, прогуливающегося на палубе с обезьяной, носящей галстук и манжеты, деморализующим образом действовала на команду, которая чуть не падала с мачт от смеха. Капитан Крузенштерн все более мрачнел — наконец сделал строгий выговор молодому офицеру. Толстой выговоров не терпел; отношения между ними окончательно испортились. Конфликт был лишь вопросом времени. К тому же во время стоянки на Маркизовых островах граф завел себе еще одно друга — местного туземного царя по имени Танега. Толстой, царь и орангутанг, с утра запершись в каюте, целый день распивали ром, после чего Танега отдал необходимые распоряжения, и к кораблю приплыли пироги с сотней восхитительных обнаженных женщин. Крузенштерн, опасаясь матросского бунта, согласился поднять индианок на корабль.

Последней каплей, переполнившей чашу терпения капитана, была хулиганская выходка орангутанга, явно по наущению Толстого пробравшегося в каюту Крузенштерна и залившего чернилами его судовой журнал. Крузенштерн распорядился высадить «молодую благовоспитанную особу» вместе с обезьяной на одном из Алеутских островов у берегов Аляски. Когда корабль тронулся, Толстой снял шляпу и поклонился командиру, стоявшему на палубе.

Об американской эпопее графа Толстого ходило множество легенд. Говорили, что первое время на острове ему пришлось питаться своей же убитой обезьяной, пока он не повстречал алеутов. Явление бледнолицего европейца в мундире лейб-гвардии Преображенского полка произвело сильное впечатление на аборигенов. Воины местного племени были поражены его искусством бить зверя без промаха. Русский аристократ одевался в индейские одежды и питался строганиной и тюленьим мясом. Известно, что некоторое время граф выполнял шаманские функции; впоследствии Лев Толстой, приходившийся Федору Ивановичу двоюродным племянником, вспоминал что тот лечил зубную боль наложением рук.

Английский историк Н.Д. Толстой-Милославский приводит следующий эпизод о своем дальнем родственнике: «Однажды он был захвачен враждебным племенем, которое хотело принести его в жертву своему идолу через съедение. В то время, как он, связанный, ждал начала трапезы, пронзительный крик объявил о появлении конкурирующего племени. Толстой оставался небеспристрастным наблюдателем последовавшей кровавой схватки. К счастью, новоприбывшие одержали победу, впрочем, неприятности графа на этом не кончились, поскольку он обнаружил, что теперь сам стал объектом поклонения, идолом — так же как капитан Гуд в «Копях царя Соломона»: по причине «своих красивых белых ног»».

Сам Федор Толстой с гордостью рассказывал, что ему предлагали стать вождем племени. Косвенным подтверждением тому были густые татуировки, которые покрывали все его тело — знак высшего отличия среди индейцев. Граф всю жизнь гордился этими экзотическими рисунками, которые алеуты наносили на тело острыми раковинами.

Племянница Толстого М.Ф. Каменская писала в своих мемуарах: «Он рассказывал, что во время его пребывания в Америке, когда он был на шаг от пропасти, ему явилось лучезарное видение святого, осадило его назад, и он был спасен. Заглянув в им самим устроенный календарь, он увидел, что это произошло 12 декабря. Значит, святой, который его спас, был святой Спиридо-

На Алеутских островах

ний, патрон всех графов Толстых». И действительно, через некоторое время татуированного с головы до ног поручика-алеута подобрало случайно заглянувшее сюда судно российско-американской компании, которое доставило его к берегам Аляски.

О пребывании Толстого в русской Америке не сохранилось достоверных сведений. Но и спустя десятилетия туземцы на Аляске рассказывали русским путешественникам и миссионерам легенды про необычного пришельца, шамана и охотника, по описанию поразительно похожего на Федора Толстого.

В начале 1805 года граф-алеут с первым кораблем прибыл в Петропавловский порт на Камчатке. Чтобы попасть домой, Толстому предстояло пересечь всю территорию Российской империи, но это обстоятельство не слишком его смущало. Он отправился в новое длительное путешествие сквозь глухую тайгу со случайными проводниками, иногда передвигаясь на лошадях и собаках, иногда пешком (когда не было денег), переправляясь через бесчисленные сибирские реки, неделями не встречая цивилизованных людей.

Путешествие заняло больше года. В день своего возвращения в столицу Толстой, узнав, что Крузенштерн в этот же день дает бал, явился к нему и поблагодарил его за то, что так весело провел время в Америке. Свое появление на балу поручик объяснил тем, что также закончил кругосветное путешествие, только по другому маршруту.

В Петербурге граф-скандалист, «друг орангутанга и предводитель индейцев» возобновил свои прежние привычки. Он жил на широкую ногу, вел большую карточную игру, не всегда чистую, имел ряд дуэлей, иногда самого фантастического свойства. Известный литератор Фаддей Булгарин вспоминал: «Дома он одевался по-алеутски, и стены его были увешаны оружием и орудиями дикарей…»

Художник Федор Петрович Толстой, в свое время уступивший двоюродному брату место на корабле, отправлявшемся в кругосветное плавание, писал в своих мемуарах: «…граф Толстой (прозванный впоследствии Американцем) был чрезвычайно добр, всегда был готов отдать последнюю копейку бедному, честен и ни за что не согласился бы обмануть либо солгать. В то же время он обыграл бы вас в карты до нитки».

А. С. Грибоедов обессмертил Толстого-Американца в «Горе от ума»:

А голова, какой в России нету, —
Не надо называть, узнаешь по портрету:
Ночной разбойник, дуэлист,
В Камчатку сослан был, вернулся алеутом
И крепко на руку нечист…

Федор Толстой сразу же узнал себя, но нисколько не обиделся. Прочитав ходившую в списках комедию, он густо зачеркнул четвертую строчку и рядом написал: «В Камчатку черт носил», а в скобках добавил: «ибо сослан никогда не был». Не удовольствовавшись этим, он спросил Грибоедова:

— Ты что это написал, будто я на руку нечист?

— Так ведь все знают, что ты передергиваешь, играя в карты.

— И только-то? — искренне удивился Толстой, — так бы и писал, а то подумают, что я табакерки со стола ворую.

Когда уже после смерти Грибоедова комедия была напечатана, после процитированных строк стояла звездочка, а сноска внизу гласила: «Ф. Т. передергивает, играя в карты, табакерки он не ворует».

Вокруг самого скандального персонажа русского девятнадцатого века складывался цикл легендарных рассказов, записанных в мемуарах и передававшихся изустно. Драться с Американцем на дуэли любым видом оружия было равносильно самоубийству.

Алеуты на охоте

Граф Толстой выведен в образе Сильвио в пушкинском «Выстреле». Ссора офицеров за карточным столом в повести напоминает ссору Толстого с Нарышкиным, сыном петербургского генерал-губернатора (именно за эту дуэль Толстого лишили чинов и сослали «на житье» в калужскую глушь, где он оставался до начала войны с Наполеоном). В 1812 году Американец записался рядовым в московское ополчение. Своей храбростью в день Бородинского сражения он не только вернул себе чины, но и заслужил Георгия 4-й степени. При Бородине граф был тяжело ранен в бедро. Его друг Липранди, случайно увидевший окровавленного Толстого в санитарной повозке, подступил с сочувственными словами, но услышал в ответ: «Да брось ты! Давай-ка лучше мадеры выпьем, у меня припасено». Войну Федор Толстой закончил в звании полковника.

История Сильвио с графом Б., особенно отсрочка выстрела Сильвио, напоминает ссору самого Пушкина с Федором Толстым. Поэт и Американец обменялись резкими эпиграммами; Пушкин находился в это время в ссылке на юге, но собирался по возвращении послать вызов графу. Предстоявшая дуэль с Толстым тяготела над Пушкиным несколько лет так же, как выстрел Сильвио тяготел над его противником. В Михайловском поэт даже заказал себе тяжелую трость, тренируя руку для поединка.

По возвращении из ссылки Пушкин немедленно послал секундантов к Толстому. Того по счастью «черт носил» неведомо где. Совместными усилиями друзей их удалось затем примирить. Со временем отношения Пушкина и Толстого даже сделались дружескими. Именно Американцу Александр Сергеевич доверил весьма деликатное дело — сватовство к Наталии Николаевне Гончаровой. Пушкин вывел Толстого в «Евгении Онегине» под именем Зарецкого.

С.Л. Толстой, известный мемуарист и сын Льва Толстого, посвятил Американцу отдельное исследование. Он писал, что Федор Иванович «оставался душой избранного дружеского общества… его друзьями были молодые люди, принадлежащие к блестящей интеллектуальной элите того времени — Пушкин, Вяземский, Жуковский, Денис Давыдов, Баратынский… Во время дружеских пирушек «рыцарей ордена Пробки», — как они себя называли, — слагались поэмы, эпиграммы, застольные песни, в которых часто упоминается его имя».

Лучшую характеристику графа Толстого оставил один из его друзей князь П. А. Вяземский:

Американец и цыган,
На свете нравственном загадка,
Которого как лихорадка
Мятежных склонностей дурман
Или страстей кипящих схватка
Всегда из края мечет в край,
Из рая в ад, из ада в рай…

Записной бретер, путешественник, георгиевский кавалер, татуированный с головы до ног «американский дикарь», картежный шулер… С ним водили дружбу лучшие умы столь обильного на таланты века, его неизменно выбирали прототипом для своих героев создатели русской классики. И. С. Тургенев вывел Американца в рассказах «Бретер» и «Три портрета» под именем графа Турбина. Лев Толстой изобразил его в повести «Два гусара». Американец присутствует и на страницах «Войны и мира». Долохов так же, как и Федор Толстой, — кутила, добрый товарищ, дуэлист, безумно храбр, дважды разжалован в солдаты, недобросовестно играет, ходил лазутчиком к французам (в рукописях «Войны и мира» в черновом наброске одной из сцен второго тома Долохов рассказывает Николаю Ростову о своей обезьяне).

Индейские татуировки графа — диковинка для просвещенного общества того времени — были почвой для особых пересудов. В аристократических салонах Петербурга и Москвы Федор Толстой по просьбе гостей охотно демонстрировал «произведение искусства» безвестного туземного мастера, вводя в конфуз светских дам. Племянница Толстого М.Ф. Каменская вспоминала, что на грудь его украшала большая пестрая птица, кругом были видны какие-то красно-синие закорючки, на руках змеи и дикие узоры. «Причем это не та татуировка, к которой привыкли сейчас, которая со временем сходит и имеет такой приятный серенький оттенок. Она была кровавая, красная, синяя».

Поигрывая двухконечным индейским дротиком, Толстой рассказывал Вяземскому и Пушкину о хвойных дебрях Нового Света, о вечных снегах и неприступных вершинах, освещенных заревом вулканов. В нем было что-то от бесстрашных русских первопроходцев. В некотором смысле «американская история» Федора Толстого, воплощала общую романтическую идею, владевшую многими умами того времени, когда «мятежных склонностей дурман» зачастую отражал желание отринуть окружающую действительность, бежать на край света. Ф. Булгарин писал об Американце: «Я вспоминаю о нем как о необыкновенном явлении.., когда люди жили не по календарю, говорили не под диктовку и ходили не по стрункам…»

А. И. Герцен в «Былом и думах» упоминал о графе Толстом, которого лично знал в Москве: «Удушливая пустота и немота русской жизни, странным образом соединенная с живостью и даже бурностью характера, особенно развивает в нас всякие юродства… В буйных преступлениях Толстого-Американца я слышу родственную ноту, знакомую нам всем…»

Один из героев Достоевского был списан с Толстого-Американца. Это Свидригайлов в «Преступлении и наказании», который собирается то в морскую экспедицию, то в полет на воздушном шаре. «Буйные преступления» сродни душе Свидригайлова, который в конце-концов и «уезжает в Америку» — так он именует свое самоубийство.

Судьба самого Федора Ивановича оказалась иной. Во время одного из кутежей он был очарован знаменитой цыганской певицей Авдотьей Тугаевой и увез ее к себе. Скандальный для высшего света мезальянс продолжался несколько лет. Однажды «индейский царь» начисто проигрался в Английском клубе и был не в состоянии вернуть огромный карточный долг. Приближался скорый срок уплаты; имя Толстого могло быть вывешено на черной доске должников с последующим исключением из клуба. Граф, с легкостью переживший «американскую ссылку», лишение чинов и разжалование в солдаты, не мог перенести позора карточного долга и был близок к самоубийству. Узнав о случившемся, его цыганка продала свою роскошную шубу и все драгоценности, подаренные Толстым, и принесла необходимую сумму. Растроганный Американец обвенчался с Авдотьей.

Его первый ребенок умер в младенчестве. Граф даже наложил на себя епитимью больше не брать в рот вина. Держался он стоически. Во время одних пьяных проводов, как вспоминал Вяземский, когда его приятели пировали две недели, Американец с завистью смотрел на происходящее, но обета не нарушил. Только после прощального тоста, уезжая в санях вместе с гусаром Денисом Давыдовым, он не выдержал и попросил: «Голубчик, хоть подыши на меня».

Епитимья графу не помогла; его дети умирали один за другим во младенчестве или отрочестве. Толстой усмотрел в этом кару Божью. Он заказал образок с изображением покровителя Толстых святого Спиридония и носил его на груди не снимая. Американец завел особый список, который называл «синодиком». В нем были имена убитых им на дуэли людей, числом одиннадцать. Когда умирал очередной его ребенок, Толстой вписывал его имя напротив убитого на дуэли и помечал: «Квиты». Так у него умерло одиннадцать детей, в том числе и любимая дочь Наташа, чей поэтический талант отметил Пушкин. Полностью заплатив дань Всевышнему, он тяжело вздохнул и сказал: «Слава Богу, хоть мой цыганенок будет жить». И действительно, двенадцатый его ребенок — дочь Прасковья дожила до глубокой старости. У нее был сын Федор, внешне очень похожий на деда.

«Кругосвет» Толстого-Американца завершился осенью 1846 года. Перед кончиной он успел причаститься и его исповедь была очень долгой. Принимавший ее батюшка говорил потом, что редко в ком встречал такое искреннее раскаяние. Поэт В.А. Жуковский, узнав о смерти Федора Толстого, писал: «В нем было много хороших качеств. Мне лично были известны только хорошие качества. Все остальное было ведомо только по преданию, и у меня всегда к нему лежало сердце, и он был добрым приятелем своих приятелей».

Хроника XIX столетия

1824 — подписана русско-американская Конвенция о дружбе, торговле и мореплавании — первая в истории отношений между двумя странами. Конвенция урегулировала территориальные споры на тихоокеанском северо-западе Америки.

1825–1829 — президентство Джона Куинси Адамса.

1825 — открыт канал Эри, в то время самый длинный в мире, который связал внутренние районы Америки (регион Великих озер) с Атлантическим океаном.

1826 — опубликован роман Джеймса Фенимора Купера «Последний из могикан».

1828 — основана Демократическая партия США.

1829 — физик Джозеф Генри продемонстрировал модель электрического двигателя.

1829–1837 — президентство Эндрю Джэксона.

1830 — открытие первой в США железнодорожной линии — участок железной дороги Балтимор–Огайо.

ПРОРОЧЕСТВО ТЕНСКВАТАВЫ

Девятый президент США Уильям Харрисон известен главным образом тем, что пробыл на своем посту рекордно короткий срок — тридцать один день. Между тем судьба «президента на один месяц» заслуживает гораздо большего, нежели место в разделе политических курьезов.

Уильям Хенри Харрисон (1773-1841) оказался последним президентом США, который родился подданным британской короны. Его биография связана с большим историческим отрезком в жизни страны. Уильям был младшим из семи детей Бенджамина Харрисона, видного политика времен Американской революции, подписавшего «Декларацию независимости» и ставшего впоследствии губернатором штата Вирджиния. В молодости Уильям изучал медицину в Филадельфии, но после смерти отца пошел на военную службу. Джордж Вашингтон, друг отца, одобрил это решение. Интересно, что Харрисон и по сей день остается единственным из американских президентов, получившим врачебные знания.

Во главе отряда волонтеров лейтенант Харрисон нес службу на самой окраине Соединенных Штатов — так называемых Северо-Западных территориях, простиравшихся от реки Огайо до Великих озер. В 1798 году он женился на дочери пенсильванского судьи Анне Симмс, вышел в отставку в капитанском чине и поселился на плантации Норт-Бенд на реке Огайо. Вскоре, по видимому не без помощи тестя, Харрисон был назначен первым губернатором Индианы — тогда еще не штата, а территории, — и оставался на этом посту двенадцать лет.

В те годы Уильям Харрисон стал одним из символов американского Запада и великой эпохи освоения новых земель. Вверенная ему территория охватывала современные штаты Висконсин, Иллинойс, Индиану и Мичиган. Молодой политик представил в Конгресс проект закона, предусматривавший продажу небольших участков государственной земли и предоставление четы-

Памятник генералу Харрисону в Индианаполисе

рехлетнего кредита покупателям скромного достатка. В то же время губернатор старался примирить интересы белых поселенцев и многочисленных индейских племен и поддерживать мирные отношения с аборигенами. Харрисон распорядился проводить вакцинацию индейцев от оспы и запретил продавать им спиртное.

Но не общественные заботы принесли губернатору славу и последующий карьерный взлет. На западных землях начались волнения индейских племен, которые возглавил вождь шауни Текумсе. Влиятельный воин, отличавшийся умом и хитростью, Текумсе пытался создать мощную конфедерацию индейских племен для противодействия экспансии «бледнолицых». Не меньшим влиянием среди индейцев пользовался и его сводный брат, одноглазый шаман Тенскватава, прозванный Пророком. Тенскватава запрещал своим людям заключать земельные сделки с белыми людьми, перенимать их обычаи и вступать с ними в брак, а о его целительских способностях ходили легенды.

Пытаясь подвергнуть сомнению мистическую власть Тенскватавы, губернатор Харрисон однажды передал ему через индейцев вызов: «Если «провидец» действительно хочет показать силу Великого Духа, то пусть попробует остановить солнце или луну или повернуть вспять воды в реке». Шаман долгое время хранил молчание, а затем объявил, что погасит солнце 17 июня 1806 года.

В назначенный час перед огромной толпой индейцев под завывания шамана явилось грандиозное зрелище полного солнечного затмения. Позже Харрисон пытался утверждать, что Тенскватаве, скорее всего, попал в руки фермерский альманах с известной датой затмения, но уже ничто не могло поколебать могущество и величие индейского Пророка.

Тенскватава

Осенью 1811 года Текумсе отверг очередное предложение Харрисона о переговорах и отправился за помощью к англичанам в Канаду. На западной окраине Соединенных Штатов назревала новая война. Харрисон вновь сел в седло, возглавив вооруженные силы Индианы и Огайо. У реки Типпекано ополченцы встали военным лагерем для устрашения индейцев. В отсутствие брата Тенскватава возглавил шауни и первым поднял топор войны. На рассвете 7 ноября 1811 года краснокожие воины скрытно подошли к лагерю Харрисона и нанесли вероломный удар. Несмотря на большие потери, ополченцы сумели отбить нападение, а затем, преследуя индейцев, разрушили деревню, где жил Пророк.

Победа при Типпекано сделала из генерала Уильяма Хенри Харрисона фигуру национального масштаба. Спустя несколько месяцев Соединенные Штаты Америки объявили войну Соединенному Королевству.

Война 1812–1814 гг., хронологически расположенная между Войной за независимость и Гражданской войной в США, остается не столь известной, несмотря на обширные наземные и морские операции, захват англичанами Вашингтона и рождение в одном из боев американского гимна. Генерал-майор Харрисон вел успешные военные действия на западных границах. В сентябре 1813 года он освободил Детройт, а затем разбил соединенные британские и индейские силы на реке Теймс в Канаде. В этом сражении погиб Текумсе.

Существует легенда, что узнав о смерти брата бежавший в Канаду Тенскватава послал проклятие вождю бледнолицых. В переводе с языка шауни оно звучало следующим образом: «Харрисон не сможет стать Большим Вождем с первого раза. Он станет им во второй раз. Но если это произойдет, он не закончит свой срок. И тогда вы вспомните смерть моего брата Текумсе. Вы думали, что я, который заставлял меркнуть Солнце, потерял свою власть.

Но я говорю вам, что Харрисон умрет. И вслед за ним, все Большие Вожди, избранные через каждые двадцать зим, будут умирать до срока. И когда каждый последующий уйдет в мир иной, пусть все вспомнят гибель наших людей».

Уильям Харрисон поначалу пытался заниматься политикой. Генерала в отставке протежировали на должность посла в России, но в Белом доме нашли другую кандидатуру. Харрисон был избран членом Палаты представителей Конгресса, затем — сенатором от штата Огайо. И все же пришелец с западных границ оказался явно не ко двору в столичных коридорах. В конечном итоге он вернулся на свою ферму в Норт-Бенд. Будучи отцом десяти детей, Харрисон многократно, но безуспешно пытался участвовать в мелких коммерческих предприятиях. В конце концов в поисках средств существования седой генерал поступил на скромную должность судебного писаря. Пророчество Тенскватавы выглядело бессмысленным заклинанием дикаря.

В 1836 году о «Старом Типпекано» неожиданно вспомнили как о возможном сопернике выдвиженца Демократической партии Ван Бюрена. В шумной и популистской президентской компании Харрисон проиграл. Но через четыре года его сторонники провели атаку на Ван Бюрена по всем правилам политической стратегии. Слава военного героя, «Вашингтона Запада» и сына своего народа, прозванного кандидатом «бревенчатой хижины и яблочного сидра», принесла Харрисону убедительную победу на выборах 1840 года.

Шестидесятивосьмилетний Уильям Хенри Харрисон оказался самым пожилым обитателем Белого дома вплоть до избрания Рональда Рейгана 140 лет спустя. Его речь при вступлении в должность 4 марта 1841 года длилась около двух часов — самая длинная инаугурационная речь в истории США. День был холодный, с проливным дождем. Президент хотел показать, что он такой же несгибаемый герой, как и тридцать лет назад при Типпекано, и находился на трибуне без пальто и шляпы. В итоге он подхватил серьезную простуду.

За месяц своего президентства он успел сформировать популярный кабинет во главе с Д. Уэбстером, по общему мнению, лучшим государственным секретарем США за все XIX столетие. Харрисон также назначил специальную сессию Конгресса для выработки новой финансовой политики.

К этому времени простуда президента перешла в двустороннее воспаление легких. Лечили его традиционными для того времени методами: врачи применяли опиум, касторовое масло и змеиный яд. Смерть Уильяма Харрисона 4 апреля 1841 года (спустя месяц после инаугурации) наступила от дыхательной недостаточности. Последними словами, сказанными президентом в бреду, были: «Сэр, я хочу, чтобы вы понимали настоящие задачи правительства».

Со временем выяснилось, что полулегендарное проклятие Тенскватавы действительно преследует хозяев Белого дома. В 1860 году, через двадцать лет после инаугурации Харрисона, президентом США был избран Авраам Линкольн, погибший затем от пули в вашингтонском театре. Спустя еще «двадцать зим», в 1880 году, президентом стал Джеймс Гарфилд — и был на следующий год застрелен из мести оставшимся без должности адвокатом. В 1900 году на пост президента США был повторно избран Уильям Маккинли; через год его застрелил фанатик-анархист. В 1920 году — следующим в роковом двадцатилетнем цикле — президентом стал Уоррен Гардинг. Он тоже не дожил до окончания своих полномочий, и его таинственная смерть до сих пор порождает самые разнообразные домыслы. Еще через двадцать лет, в 1940 году, Франклин Делано Рузвельт был избран на очередной срок — и скоропостижно скончался от инсульта весной 1945 года. Последним в мистическом двадцатилетнем цикле стал Джон Кеннеди, избранный в президенты в 1960 году и убитый три года спустя. Таким образом, «индейское пророчество» сбылось семь раз подряд.

Тем не менее история Белого дома не всегда выглядела так мрачно. Внук «президента на один месяц» Бенджамин Харрисон (1833–1901) спустя полвека стал 23-м президентом США и был известен как реформатор американской государственной службы, а впоследствии — как крупный юрист и дипломат. Бенджамин Харрисон стал первым американским президентом, оказавшим гуманитарную помощь России: его администрация отправила в 1892 году десятки тысяч тонн продовольствия для голодающих крестьян шестнадцати губерний Российской империи. А злополучное пророчество Тенскватавы не напоминает о себе уже несколько десятилетий.

Хроника XIX столетия

1832 — Американо-русский договор о торговле и мореплавании на основе принципа наибольшего благоприятствования, подписанный министром иностранных дел России К. Нессельроде и американским послом в Петербурге Дж. Бьюкененом (будущим 15-м президентом США).

1832 — в Америке переведен и опубликован первый русский роман — «Иван Выжигин» Фаддея Булгарина.

1834 — Изобретатель Сайрус Маккормик получил патент на механическую жатку — первый в истории комбайн.

1836 — Арканзас вошел в состав США.

1836–1841 — философ Ральф Уолдо Эмерсон опубликовал серию эссе, ставших идеологической основой трансцендентализма.

1837–1841 — президентство Мартина Ван Бюрена.

1837 — Мичиган вошел в состав США.

1838 — открытие первой трансатлантической пароходной линии между Америкой и Европой.

РУССКАЯ КОЛУМБИЯ

История продажи Аляски хорошо известна: в 1867 году правительство России за скромную цену уступило Соединенным Штатам обширные территории Аляски и Алеутских островов. Впрочем, судьба русских владений в Америке решалась задолго до этого и оказалась в сложном сплетении с историей декабристского движения, приведшего к восстанию на Сенатской площади в Петербурге 14 декабря 1825 года.

После победы над Наполеоном Российская империя достигла вершины своего могущества. Ее границы простирались на трех континентах — европейском, азиатском и североамериканском — от Варшавы и Гельсингфорса на западе до Аляски и Калифорнии на востоке. Для утверждения русского влияния в Северной Америке 8 (19) июля 1799 года указом Павла I была основана Российско-Американская компания с Главным правлением в Санкт-Петербурге. С деятельностью этой компании, монопольно управлявшей территорией Аляски, связывались честолюбивые планы имперской экспансии в Новом Свете.

В первой четверти XIX столетия Россия начала развивать свои колонии в Америке. Основывались торговые и промысловые фактории. В 1804 году был заложен административный центр Новоархангельск (ныне город Ситка), долгое время остававшийся самым крупным русским портом на Тихом океане. Было положено начало медеплавильному делу, добыче угля, проводились важные научные исследования новых земель.

В 1802 году в число акционеров Российско-Американской компании вошел сам император Александр I. Его примеру незамедлительно последовала столичная знать. Владеть акциями компании, находящейся под «высочайшим покровительством» стало весьма престижно. В 1806 году Главному правлению компании, расположившемуся в здании на Мойке у Синего моста, был дарован особый флаг, повторявший цвета национального, с двуглавым царским орлом.

Новоархангельск в 1820-е годы

Российско-Американская компания считалась весьма успешным коммерческим предприятием. Она имела свои конторы в Москве, Казани, Иркутске и других городах. Полугосударственный характер заморского акционерного общества предоставлял значительные свободы в его торгово-экономической деятельности. Один только пушной промысел приносил в казну миллионы рублей. Бесценный мех калана (морского бобра) по красоте и качеству считался выше песцового. Доходило до того, что чиновники в Петербурге и Москве отказывались брать взятки деньгами, а требовали только калана. Русская Америка успешно участвовала в шанхайской торговле чаем: полученный в обмен на пушнину чай компания реализовывала в России. Некоторые из американских историков считали, что мех морского бобра, который так ценился китайской знатью, во многом способствовал широкому развитию русской традиции чаепития.

По загадочному стечению обстоятельств в деятельность Российско-Американской компании оказались вовлечены многие из участников декабристского движения. Правителем канцелярии Главного правления компании в Петербурге был (до дня восстания на Сенатской площади) К. Ф. Рылеев, столоначальником — О. М. Сомов. На судах компании служили Г. С. Батеньков, В. П. Романов и Д. И. Завалишин. Близок был к декабристским кругам один из директоров Главного правления И. Ф. Прокофьев.

Попал в знаменитый «Алфавит декабристов» управделами Ново-архангельской конторы К. Т. Хлебников. А в здании на Мойке у Синего моста, где располагалось Главное правление, проходили собрания членов Северного общества.

Вечером 25 ноября 1825 года в Петербурге получили секретную депешу из Таганрога, что император Александр I смертельно болен. Через два дня курьер доставил в столицу весть о кончине Александра. В этот же день, 27 ноября, согласно протоколу, началась официальная присяга армии и правительственных учреждений его старшему брату Константину.

Внезапная смерть Александра I, не оставившего прямых наследников, породила множество слухов. В народе долгое время жила легенда, будто император принял схиму и жил под именем старца Федора Кузьмича. Еще более загадочным представлялось решение о преемственности власти. Наследник по первородству, великий князь Константин Павлович, неоднократно подтверждал свое нежелание царствовать. На его памяти были воцарение отца, Павла I, более похожее на захват власти с отстранением «наследника по завещанию» Александра, и жуткая ночь убийства императора 11 марта 1801 года. Константин, уверенный, что его «задушат, как отца удушили», если он примет трон, еще в 1823 году официально отрекся в пользу младшего брата Николая. Однако содержание этого отречения, как и завещание Александра I о наследовании престола Николаем, царская семья хранила в тайне.

В Санкт-Петербурге наступила неопределенная атмосфера междуцарствия. На Монетном дворе началась чеканка новых «константиновских» рублей, в лавках появились портреты курносого человека лицом похожего на Павла и надписью «император Константин I», указы подписывались его именем.

Вместе с тем поговаривали, что трон может достаться Николаю, хотя он был непопулярен в армии и обществе. Правитель конституционной Польши Константин казался более либеральным в сравнении с жестоким солдафоном Николаем, исповедовавшим принципы абсолютной монархии.

Существовал и третий вариант наследования, предпочтительный для многих: императрица-мать Мария Федоровна (вдова Павла I), попечительница многочисленных коммерческих и благотворительных заведений. В Петербурге еще не забыли о временах гвардейских переворотов, не раз разрубавших «династические узлы».

К моменту трагической развязки на Сенатской площади тайные общества, вынашивавшие идею смены власти, существовали в России без малого десять лет. При всей разнохарактерности их объединяло стремление ограничить или уничтожить самодержавную форму правления. Взяться за оружие молодых дворян-офицеров заставляло нежелание и неумение правительства начать политические реформы и раскрепостить экономику. Но династические перемены застали лидеров Северного и Южного обществ врасплох. У будущих декабристов не было единой программы действий, в среде «молодых якобинцев», как называл их Пушкин, не существовало общего мнения по принципиальным политическим вопросам.

Душою и идеологом петербургских заговорщиков был молодой поэт К. Ф. Рылеев, издатель журнала «Полярная звезда». Отставной артиллерийский подпоручик Кондратий Рылеев служил в Петербургской уголовной палате, пока не состоялось его знакомство с сенатором Мордвиновым.

Николай Семенович Мордвинов, в прошлом морской министр, один из влиятельных членов Государственного совета, председатель Вольного экономического общества, был одной из самых ярких фигур в истории Русской Америки. Адмирал Мордвинов слыл либералом, сторонником конституционной монархии и экономических реформ. В столице его звали «русским Аристидом». Не участвуя напрямую в заговоре, он, однако, симпатизировал его участникам и при возможности составлял им протекцию по службе.

В январе 1824 года Рылеев имел беседу с сенатором в его особняке на Театральной площади, после чего Мордвинов рекомендовал молодого человека на должность правителя дел Российско-Американской компании.

Вместе с новой должностью Кондратий Рылеев получил и новую квартиру. Он занял восемь комнат в доме на Мойке № 72, где располагалось Главное правление Российско-Американской компании. Построенное в XVIII веке здание у Синего моста имело два этажа (13 окон по фасаду) и мезонин. Рылеев обитал на нижнем этаже, а наверху жил один из директоров компании И. В. Прокофьев.

Рылеев, испытывавший в прошлом серьезные материальные затруднения и даже заложивший свое небольшое имение, теперь стал не только чиновником крупнейшей в России коммерческой структуры, но и обладателем ее акций. Член Северного общества князь Е. Оболенский писал о Рылееве: «Его общественная деятельность по занимаемому им месту правителя дел Американской компании заслуживала бы особенного рассмотрения по той пользе, которую он принес компании…».

Кондратий Рылеев

Начало декабря 1825 года в Петербурге было тревожными. Великий князь Константин, находившийся под охраной верных полков в Варшаве, не желал приезжать в столицу. При этом он отказывался прислать официальный манифест об отречении, побуждая тем самым Николая самостоятельно выбираться из династического тупика. Между Петербургом и Варшавой сновали курьеры. Николай, не имевший безусловных прав на трон, занимал выжидательную позицию: законы империи не позволяли перехода престола по завещанию Александра, а лишь через оглашенный при жизни государя манифест. Весьма двусмысленную роль в затянувшемся междуцарствии играла вдовствующая императрица Мария Федоровна: в случае отречения сыновей у нее появлялись права регентства.

В пользу императрицы-матери интриговала придворная группа, которой руководили глава ведомства путей сообщения герцог Александр Вюртембергский, родной брат императрицы, и влиятельный министр финансов граф Е. Ф. Канкрин, автор ряда экономических проектов. Мария Федоровна с 1802 года состояла в числе акционеров Российско-Американской компании. Ее именем был назван один из кораблей компании. Многим из числа влиятельных держателей акций и должников в Главном правлении представлялся благоприятным именно такой вариант: вдовствующая императрица с ограниченными правами. В те дни в Петербурге в тугой клубок сплелись придворные интриги, романтические и либеральные идеи, карьерные и коммерческие интересы различных политических групп.

В имперской государственной структуре Российско-Американская компания находилась в непосредственном подчинении двух ведомств — финансового и путей сообщения. Влияние герцога Вюртембергского, графа Канкрина и людей, связанных с «партией Марии Федоровны» прослеживается достаточно отчетливо. В списках акционеров компании можно найти немало сторонников потенциальной Марии I. Приверженец регентства и конституционной монархии Гавриил Батеньков, работавший под началом Александра Вюртембергского, протежировался на место правителя русских колоний в Америке. Один из главных участников заговора 14 декабря, адъютант герцога Александр Бестужев, жил в доме, принадлежавшем Российско-Американской компании.

Дом на Мойке у Синего моста оказался отмечен особой исторической ролью. Два его этажа как бы символизировали два различных течения русского реформаторства. Наверху, на обедах у хлебосольного директора компании Ивана Прокофьева, где перебывало полстолицы — от купечества до облеченных властью бюрократов — велись умеренно-либеральные беседы сторонников партии «деловых людей». Внизу, где жил Кондратий Рылеев, вынашивались радикальные планы переворота. Обедавший однажды у Прокофьева подполковник Батеньков спросил у А. Бестужева, где сейчас Рылеев. «Внизу, до времени», — ответил тот. Батеньков понял, что его товарищ по тайному обществу имеет в виду не только нижний этаж дома.

Из поля зрения историков декабристского движения зачастую выпадает важная составляющая программы тайных обществ — их внешнеполитические устремления. Влиятельная часть декабристов была идеологами дальнейшего расширения российских границ. Лидер Южного общества Павел Пестель считал необходимым приобретение Закавказья, Молдавии и других земель по экономическим и стратегическим соображениям. Выдвигались идеи о создании панславянской федерации, которая включала бы Польшу, Богемию, Моравию, Венгрию (декабристы считали венгров славянами), Трансильванию, Сербию, Валахию, Далмацию и Хорватию. Интересы многих членов Северного общества были устремлены в сторону Нового Света.

Под прикрытием Российско-Американской компании велась не только успешная тихоокеанская торговля с Мексикой, Чили, Перу, Филиппинами, но и осуществлялись на практике идеи колониальной экспансии.

Еще в 1812 году на территории испанской Калифорнии была основана крепость Росс. Этот форпост к северу от залива Сан-Франциско должен был положить начало русскому освоению Калифорнии. В 1815–1817 годах флаг Российской империи развевался и над одним из Гавайских островов — благодаря «дипломатическим» усилиям сотрудников компании на Гавайях король острова Кауаи склонился к переходу в русское подданство. Здесь же был заложен «Русский форт». С успехом русской колонизации на Дальнем Востоке, Аляске и Алеутских островах, в Калифорнии и на Гавайях, становилась реальностью идея превращения северной акватории Тихого океана во «внутренние воды» Российской империи.

К концу первой четверти XIX века торговые интересы и практическая деятельность Российско-Американской компании все чаще вступали в противоречие с консервативным курсом царского правительства в Санкт-Петербурге. «Дней александровых прекрасное начало» сменилось мрачным застоем времен Священного союза. Был резко усилен правительственный контроль за деятельностью компании, а ряд указов напрямую грозил интересам предпринимателей и акционеров компании, среди которых было много влиятельных лиц. Две российские исторические интриги — освоение Аляски и декабристское движение развивались параллельно, чтобы затем неожиданно пересечься в одной из самых трагических точек русской истории.

В канун восстания происходила стремительная поляризация планов участников заговора. На верхнем этаже Российско-Американской компании занимались в большей степени теоретическими разработками. Гавриил Батеньков и живший на квартире Прокофьева барон Штейнгель выдвигали свой вариант политических реформ. Ими был составлен текст «Манифеста к русскому народу», который Сенат должен обнародовать от себя — после успеха восстания. Батеньков разделял политические взгляды опального реформатора М. М. Сперанского, с которым он долгое время был связан по службе. Барон Штейнгель, как и Батеньков, был сторонником конституционной монархии и умеренных политических реформ. В их «Манифесте» предусматривалось создание Временного правительства с правами регентства, в которое прочили Сперанского, Мордвинова, Батенькова.

Нижний этаж, занимаемый Рылеевым, превратился в штаб-квартиру Северного общества, куда сходились все нити декабристского заговора. Тут проходили ежедневные сходки членов общества. По воспоминаниям очевидцев, атмосфера в доме Российско-Американской компании была накаленной: обсуждались самые различные варианты захвата власти и последующих реформ. Негласным составляющим тактического плана радикалов было физическое устранение Николая и всей царской семьи. До поры «солдаты Рылеева» скрывали свои намерения за умеренной программой Батенькова-Штейнгеля. 8 декабря в «диктаторы» Северного общества был избран князь С. П. Трубецкой, ветеран движения и старший среди заговорщиков по званию.

Идеологическая основа декабристского движения во многом формировалась под влиянием графа Н. С. Мордвинова. В силу ряда причин его имя не стало столь известным в ряду русских реформаторов. Старый сенатор-либерал прожил длинную политическую жизнь. Еще Екатерина II говорила, что его бумаги «писаны золотым пером». В работе над программными документами декабристы использовали «мнения» Мордвинова — его предложения в Государственном Совете и проекты либеральных преобразований. Пушкин как-то отметил, что Мордвинов «заключает в себе всю русскую оппозицию». В своем альманахе «Полярная звезда» Рылеев посвятил ему оду «Гражданское мужество». Важно отметить, что адмирал Мордвинов, подбиравший кадры для Российско-Американской компании, определял во многом как ее деятельность, так и обширные стратегические задачи.

Кондратий Рылеев был активным сторонником идей Мордвинова о расширении русского влияния в Америке, создания тихоокеанской Новороссии. В феврале 1825 года Прокофьев и Рылеев даже вступили в открытый конфликт с министерством иностранных дел, возглавляемым К. В. Нессельроде, о правах Российско-Американской компании и ее экспансии в Новом Свете. Рылеев докладывал о строительстве новых опорных пунктов Русской

Америки: «...компания желает распространить заселения свои до самого хребта Каменных гор (Скалистых гор. — *Л. С.*), что необходимо для прочного существования ее, чему уже сделано начало и чего она, без сомнения, достигнет...». Эта докладная едва не стоила Прокофьеву его директорского места. Александр I сделал руководителям компании «строжайший выговор» с тем, чтобы они «беспрекословно повиновались распоряжениям и видам правительства...». Примечательно, что Главное правление выразило Рылееву благодарность за службу, подарив ему енотовую шубу, оцененную в то время в семьсот рублей.

При общей неразвитости кредитно-финансовых операций на российском рынке, активность крупнейшего в стране акционерного образования стала весьма заметной. С деятельностью российско-американских коммерсантов были связаны не только идеи колонизации, но и многочисленные научные исследования в Новом Свете. Под эгидой компании состоялись первые русские кругосветные плавания. С 1803 по 1824 гг. за счет компании были снаряжены 9 кругосветных экспедиций. В морскую историю России вошли имена Крузенштерна, Лисянского, Лазарева, Головнина. Множество бесценных научных экспонатов с берегов Северной Америки обогатили коллекции петербургской Кунсткамеры и Академии наук. Интересно здесь отметить, что знаменитый золотой мак, ставший впоследствии официальным символом штата Калифорния, впервые был описан в 1822 году во время плавания фрегата «Рюрик».

10 декабря 1825 года в доме на Мойке узнали об отречении Константина и скорой «переприсяге» Николаю. Непопулярное и необычное в русской истории событие — переприсяга новому царю — представлялось удобным поводом для военного переворота. Заговорщики спешно собирали силы. Гвардейский морской экипаж занимал в планах вождей тайного общества одно из ключевых мест: он должен был стать ударной силой будущего восстания. Политическую агитацию среди морских офицеров уже давно вел Дмитрий Завалишин, который был одной из самых ярких фигур на службе Российско-Американской компании.

Мичман Завалишин в 1822–1824 годах участвовал в кругосветном плавании на фрегате «Крейсер», где делил каюту с будущим флотоводцем, а тогда скромным молодым офицером

П. С. Нахимовым. Завалишин обследовал форт Росс и увлекся идеей расширения русских владений в Калифорнии. Путь к осуществлению своих планов он видел в провозглашении независимости Калифорнии от Мексики. По возвращении в столицу в ноябре 1824 года Завалишин представил правлению Российско-Американской компании и императору Александру I обширный и детальный план занятия большой территории в Калифорнии. На этом плане стоит остановиться подробнее.

По замыслу Завалишина следовало расширить русскую колонию до «естественных» рубежей, которыми он считал залив Сан-Франциско на юге и долину реки Сакраменто на востоке. Чтобы не осуществлять замысел слишком открыто, Завалишин пытался создать некое тайное общество «Орден Восстановления», которому предстояло, воспользовавшись междоусобицей в Мексике, захватить власть в Калифорнии и присоединить ее к России. Для этого он вступил в контакт с рядом влиятельных лиц в Калифорнии, подготавливая заговор с целью смещения мексиканского наместника. Себя Завалишин даже называл Великим магистром Ордена. Плодородная Калифорния мыслилась им как основная продовольственная база Русской Америки. Завалишин предлагал осуществить «свободную колонизацию» Америки с помощью «русских коренных хлебопашцев», предварительно выкупленных из крепостного состояния.

Как вспоминал впоследствии декабрист А. П. Беляев, приятель Завалишина по Гвардейскому морскому экипажу, «местечко» Росс, «населившись, должно было сделаться ядром русской свободы». Завалишин смог заинтересовать своими идеями адмирала Мордвинова, который свел его с Рылеевым и подал докладную в Кабинет министров (для рассмотрения завалишинского плана был даже создан негласный комитет под председательством Аракчеева). Но смелые планы Российско-Американской компании и, в особенности, идеи заселения русской Калифорнии свободными крестьянами, оказались неприемлемы для царского кабинета министров.

Имя Д. И. Завалишина связано с еще одним амбициозным замыслом Российско-Американской компании — распространением влияния на остров Гаити в Карибском море и даже (в случае особой удачи) присоединения его к Российской империи. Этот план Завалишина поддерживал бывший наполеоновский генерал Буае. Французский генерал, мулат из Сан-Доминго, попал в плен в битве при Березине и остался навсегда в России, женившись на крепостной девушке. Правление компании намеревалось в сентябре 1826 года отправить на Гаити «торговую» экспедицию под руководством Завалишина и Буае.

Историк русской эмиграции В.П. Петров в книге «Русские в истории Америки» писал: «По плану Рылеева — в случае успеха восстания — все командные посты в компании распределялись между заговорщиками следующим образом: Г.С. Батенькову предстояло стать правителем Русской Америки в Новоархангельске (вместо морского офицера М.И. Муравьева); Д.И. Завалишину — правителем форта Росс. Себя Рылеев прочил на пост главы правления компании в Петербурге. Чтобы иметь в американских водах верное судно, было решено отправить туда корабль под командованием В.П. Романова для «обследования» северных берегов Америки».

Между тем в рядах заговорщиков уже обнаружились принципиальные идейные разногласия. Вечером 12 декабря в Зимний дворец явился адъютант командующего гвардейской пехотой подпоручик Ростовцев и вручил пакет на имя Николая. В пакете оказался донос подпоручика о существовании заговора с целью отстранения Николая от престола. Яков Ростовцев был членом Северного общества и сотрудничал с Рылеевым в журнале «Полярная звезда». По своим убеждениям он был близок к умеренному крылу общества (к позициям Батенькова и Штейнгеля). Мотивы предательства Ростовцева остались неясными. Уже в Сибири декабрист М. Фонвизин вспоминал: «...Ростовцев, не из корыстных видов, а испуганный мыслию о междоусобном кровопролитии, идет во дворец и открывает великому князю Николаю намерения и надежды общества воспрепятствовать его восшествию на трон». Интересно, что в своем пространном письме Ростовцев предрекал конечный распад империи: «Пользуясь междоусобиями, Грузия, Бессарабия, Финляндия, Польша, может быть, и Литва от нас отделятся. Европа вычеркнет раздираемую Россию из списка держав своих и соделает ее державою азиатскою...». Случилось так, что двадцатитрехлетний подпоручик во многом предсказал историческую судьбу империи...

Важно отметить, что «предатель» Ростовцев не выдал Николаю имен участников заговора, а ограничился общими предупреждениями. В действиях его просматривался определенный замысел. Историк Я.А. Гордин в книге «Заговор реформаторов» писал:

г. Ситка (бывший Новоархангельск)

«Смысл ростовцевского письма в полном его виде — запугать великого князя, заставить его сделать еще одну попытку навязать престол Константину (который его ни за что не принял бы) и тем самым завести ситуацию в тупик либо продолжать попытки вызвать цесаревича в столицу (куда бы он ни за что не поехал) и таким образом до бесконечности затянуть междуцарствие».

Ростовцев был связан как с правителями Российско-Американской компании, так и со многими сторонниками «партии Марии Федоровны» (в прошлом он даже был камер-пажом «порфироносной вдовы»). Дядя Ростовцева, петербургский городской голова Н. И. Кусов, был одним из директоров Российско-Американской компании. Ростовцев говорил впоследствии, что совершил свой поступок под влиянием тестя, А. С. Сапожникова, одного из богатейших русских купцов, совладельца многих промыслов и золотых приисков. Сапожников был в числе акционеров Российско-Американской компании и имел обширные коммерческие связи в столичных кругах. Интересно, что Батеньков и Штейнгель настолько считали его своим сторонником, что даже подумывали о принятии Сапожникова в тайное общество.

В то время как происходила беседа великого князя Николая и подпоручика Ростовцева, совсем неподалеку от Зимнего дворца, в доме Американской компании на Мойке, заговорщики обсуждали последние детали восстания. Единства по-прежнему не

В центре Ситки

было. В штабе восстания не поспевали за стремительным изменением событий.

На следующее утро после разговора с подпоручиком Николай решился брать власть. Он подписал манифест о своем вступлении на престол, который был зачитан членам Государственного Совета. В тот же день Николай созвал командиров всех полков и приказал привести войска 14 декабря к присяге в необычно раннее время — еще до рассвета. На раннее утро назначена была и присяга Сената. Таким образом, свой поединок с Рылеевым и компанией Николай выиграл еще вечером 13 декабря.

14 декабря было днем героизма одних, растерянности и предательства других и общего организационного хаоса среди мятежников. «Диктатор» Трубецкой не появился в рядах восставших. Рылеев, метавшийся в тот день между полками на Сенатской площади и Главным правлением Российско-Американской компании, был арестован у себя в тот же вечер. Этажом выше в доме на Мойке Штейнгель разорвал свой манифест, над которым он работал все утро 14 декабря. Противники кровавых катаклизмов Штейнгель и Батеньков на Сенатскую площадь не вышли. Перепуганный И. Ф. Прокофьев жег секретные бумаги компании, где упоминались имена декабристов и их геополитические проекты.

Позже А. И. Герцен остроумно заметит, что Николай I стрелял не только в революционеров, но и в бронзового Петра, вокруг которого они стояли: царь-реформатор, умерший в 1725 году, дал толчок русскому просвещению и вольномыслию (к этому можно лишь добавить, что Петр I положил начало и русскому освоению Америки).

Николай I лично допрашивал многих арестованных декабристов, которых доставляли в Зимний дворец из казематов Петропавловской крепости. Среди них были Рылеев и столоначальник правления Американской компании Орест Сомов. «Где вы служите?» — задал Сомову вопрос император. Тот ответил: «В Российско-Американской компании». «Хороша же собралась у вас там компания!..», — хмуро заметил Николай.

Даже после ареста Дмитрий Завалишин не оставлял своих планов относительно расширения русской колонии в Калифорнии. В начале 1826 года он писал царю из тюрьмы: «Калифорния, поддавшаяся России и заселенная русскими, осталась бы навсегда в ее власти…». Похожих взглядов придерживался барон Штейнгель, который писал Николаю из своей тюремной камеры о возможности аннексии Гаити.

Судьба участников заговора, связанных с деятельностью Американской компании, оказалась трагичной. Кондратий Рылеев был повешен 13 (25) июля 1826 года вместе с четырьмя другими руководителями восстания (по преданию, веревка над ним оборвалась и его казнили дважды). Гавриил Батеньков, заключенный в Петропавловскую крепость, был «забыт» в одиночной камере на двадцать лет. Владимир Штейнгель провел десять лет на каторге в Чите и пятнадцать лет на поселении в Сибири. Дмитрий Завалишин был приговорен к вечной каторге, замененной двадцатью годами рудников. В ссылке в Сибири он выучил 13 языков. До конца его дней Завалишина звали мечтателем. Ему было суждено стать единственным из 122 сосланных в Сибирь декабристов, кто остался в живых ко времени продажи Аляски.

Историю Русской Америки после подавления восстания декабристов можно охарактеризовать одним словом — угасание. Царским указом было официально запрещено переселение подданных Российской империи на земли компании. Купцов и хозяйственников в ее правлении вытеснили чиновники. При отсутствии интереса у власть предержащих к отдаленным землям Аляска становилась убыточным предприятием. Со всех сторон российских промысловиков на Тихом океане теснили конкуренты — англичане, американцы. В 1841 году был продан русский форпост в Калифорнии — крепость Росс с прилегающими угодьями. Колонисты частью вернулись на родину, частью переселились в Сан-Франциско, где до сих пор сохранился район под названием Русская горка. Оказались под сукном и все предыдущие колонизационные и коммерческие планы в Северной Америке.

Решение Александра II о продаже Аляски правительству США за весьма умеренную сумму подвела окончательный итог российским идеям колониальной экспансии. Договор был подписан 18 марта 1867 года в Вашингтоне. Но исторически судьба Русской Америки решилась залпами картечи вечером 14 декабря 1825 года.

В 1859 году в Санкт-Петербурге воздвигли конный монумент Николаю I. Бронзовый император гарцует лицом к Сенатской площади и спиной к Синему мосту. В доме на Мойке после ликвидации крупнейшей русской акционерной компании располагалось Общество для заклада движимого имущества, а в советское время — ломбард.

Хроника XIX столетия

1840 — спущен на воду по заказу России пароходо-фрегат «Камчатка» — первое паровое военное судно, построенное американцами для иностранной державы.

1841 — морская экспедиция под командованием капитана Чарльза Уилкса, исследовавшая южные широты, достигла берегов Антарктиды.

1841 — президентство Уильяма Харрисона. Первый американский президент, умерший на своем посту.

1841–1845 — президентство Джона Тайлера.

1843 — первый караван переселенцев (около тысячи человек) отправился через Великие равнины и Скалистые горы к тихоокеанскому побережью. Начало эпохи освоения земель американского Запада.

1844 — изобретатель Сэмюэль Морзе отправил первое телеграфное сообщение.

1845 — Флорида и Техас вошли в состав США.

ЗОЛОТО ДУРАКОВ

«Желаешь ли снискать вящее искусство извлекати сребро и злато? Или не ведаешь, какое в мире сотворили они зло? Или забыл завоевание Америки?..»

А. Н. Радищев,
«Путешествие из Петербурга в Москву»

Один из первых исследователей Северной Америки французский мореплаватель Жак Картье нашел на новом материке большие куски самородного золота. Заокеанские сокровища, торжественно доставленные ко двору французского короля, оказались при ближайшем рассмотрении пиритовой обманкой.

С тех пор «золото дураков» не раз обманывало ожидания искателей удачи. Испанцы и французы, американцы и русские безуспешно искали в Северной Америке новую «страну Эльдорадо». Не одно столетие и не одна тысяча жизней ушли на то, чтобы окончательно убедить весь мир в несбыточности новых «золотых предприятий».

В середине XIX столетия русский посланник в Вашингтоне барон Э. Стекль язвительно писал об Америке как о прибежище «авантюристов, которым здесь, кажется, назначено свидание со всех уголков земли». К этой пестрой братии принадлежал и герой нашей истории. Иоганн Август Зюттер родился в 1803 году в немецком городе Бадене в семье мелкого коммерсанта. Скудные биографические сведения наводят на мысль о его неладах с законом уже в молодые годы. Покинув родное герцогство, Зюттер поселился в Швейцарии, обзавелся семьей, но не слишком преуспел. В 1834 году неудачливый предприниматель, спасаясь от ареста по иску кредиторов, оставил жену и троих сыновей и отправился за океан.

В Америке Иоганн Зюттер сменил имя, став Джоном Саттером, и с новыми силами принялся за осуществление различных прожектов. Его видели в американском Сент-Луисе и мексиканском Санта-Фе, канадском Ванкувере и на русской Аляске. В конечном итоге Саттер оказался в Калифорнии, в ту пору совершенно неосвоенной, отдаленной мексиканской провинции. Здесь он и нашел свою судьбу.

Поначалу Джон Саттер наладил деловые и дружеские отношения с мексиканским наместником в Калифорнии Хуаном Альварадо, который позволил европейцу заложить форт и осваивать земельные угодья в долине реки Сакраменто. Свое поселение Саттер назвал Новой Гельвецией («Гельвеция» — древнеримское именование Швейцарии).

В колонию Саттера стекался разный люд: американские охотники и мехоторговцы, наемные мексиканские работники, английские и французские старатели, беглые индейцы в русских мундирах. В обширной Новой Гельвеции появились скорняжное производство, винокуренный завод, ткацкая мастерская, мельницы; здесь даже чеканили собственную монету. У Саттера было тринадцать тысяч голов скота, а поля и фруктовые сады приносили обильный урожай. Он первым начал культивировать здесь различные сорта винограда, что принесло в дальнейшем широкую известность калифорнийскому виноделию.

Осенью 1840 года Джон Саттер записал в дневнике: «На борту шхуны «Сакраменто» прибыл русский правитель г-н Александр Ротчев и предложил мне приобрести их селения… Он сказал, что меня выбрали потому, что я знаком им по своей службе в Ситке».

Представитель русской администрации в Калифорнии Александр Ротчев был фигурой не менее экзотической для этих краев. Воспитанник Московского университета, однокашник А. Полежаева и Ф. Тютчева, Ротчев был известен как талантливый поэт и переводчик Мольера, Байрона и Шиллера. «Подражания Корану» Пушкина и Ротчева считаются своеобразной перепиской двух поэтов, хорошо знавших друг друга. Нуждавшийся в средствах Александр Ротчев пошел на службу в Российско-Американскую компанию и стал последним комендантом русской крепости в Калифорнии.

13 декабря 1841 года в Сан-Франциско, в то время крошечной пыльной деревушке в одну улицу, состоялось подписание договора о продаже форта Росс. Гражданин Мексики немецко-швейцар-

Форт Росс

ского происхождения Джон Саттер купил крепость с прилегающими угодьями за 30 тысяч пиастров (150 тысяч рублей).

Форт Росс, основанный по иронии истории за день до Бородинского сражения, был самой южной точкой Российской империи в Америке. Не будучи столь важной в хозяйственном отношении, калифорнийская крепость главным образом символизировала колониальное могущество самого большого в мире государства. Эвакуация форта, проделанная его комендантом Ротчевым 1 января 1842 года, означала сворачивание американских притязаний России, завершившееся через четверть века продажей Аляски.

Вряд ли Зюттер-Саттер осознавал сопричастность к одному из неожиданных поворотов мировой политики. В соответствии с договором, швейцарец должен был в течение четырех лет расплачиваться с русскими провиантом, главным образом пшеницей. Он так и не выполнил свои долговые обязательства, ссылаясь на несколько неурожайных лет подряд.

Но история продолжала следовать за Саттером по пятам. Соединенные Штаты после непродолжительной войны отобрали у Мексики ее полузабытую и запущенную провинцию Калифорнию. Для Саттера это означало еще большую предпринимательскую свободу. В 1847 году он начал новое предприятие на Американской реке, одном из притоков Сакраменто. В достигшей гигантских размеров Новой Гельвеции расчищали новые угодья и строили амбары, мельницы, лесопилки. Хозяин выписал из Швейцарии жену с сыновьями-наследниками. Прибывший без гроша в кармане, Джон Саттер за десять лет стал одним из богатейших людей американского Запада.

Джон Саттер

Утром 24 января 1848 года Джеймс Маршалл, плотник в одной из факторий Саттера, отправился вдоль Американской реки на строительство мельницы. Неожиданно он увидел в воде блестящий предмет. Плотник не поленился и достал из песка этот кусочек тускло-желтого цвета, принес домой и, чтобы очистить от грязи, бросил в кипящую воду. Спустя некоторое время солнечный блеск металла убедил семейство Маршалла, никогда дотоле не видевшее самородное золото, что им ниспослана фантастическая удача.

В этот же день Джон Саттер и его плотник, запершись в кабинете хозяина Новой Гельвеции, обсуждали далеко идущие планы и главный из них — как наладить золотодобычу и сохранить предприятие в тайне. Трудно даже представить, какие мысли зарождались в голове новоявленного американского гражданина Саттера. Неудачливый баденский коммерсант мог стать богаче наследных принцев и королей, а может быть и самым богатым человеком в мире.

Впрочем удержать в тайне такую новость было невозможно. Калифорнийская земля полнилась слухами, которым поначалу не слишком верили. «Золото дураков», — резонно рассудили окрестные жители. Среди завсегдатаев салунов захолустного Сан-Франциско никто даже и пальцем не пошевелил в ответ на досужие россказни.

Всего через девять дней после находки Маршалла, 2 февраля 1848 года, Калифорния по мирному договору с Мексикой официально отошла к Соединенным Штатам. На самой дикой окраине западного мира мало кто осознавал эпохальную значимость обоих событий.

Среди тех, кто все же поверил в реальность находки на Американской реке, оказался мормон Сэм Бреннан. Он прибыл сюда с миссионерской целью, но прослышав о приисках, забросил дела своей церкви. Бреннан не ринулся на поиски сокровищ, но

Dft. No. 9759 TREASURY WARRANT No. 927
TREASURY OF THE United States
Washington August 1 1868
AT SIGHT, Pay to
DOLLARS
Treasurer of the United States
No. 9759 Registered
Register of the Treasury

Чек на покупку Аляски

быстро наладил производство нехитрого подручного инвентаря старателей. В один из февральских дней 1848 года Бреннан появился на главной улице Сан-Франциско с мешочком золотого песка. Он не спеша шел от салуна к салуну, выкрикивая «Золото из Американской реки! Золото из Американской реки!» Его окружали люди, щупали песок, взвешивали его, пробовали на зуб. Так началась золотая лихорадка. Кирки и лопаты, черпаки и сита Сэма Бреннана, втридорога продаваемые искателям удачи, в считанные месяцы сделали мормона богачом.

Мировой судья городка Монтеррей, пастор Уолтер Колтон писал: «Кузнец забросил свой молот, плотник — рубанок, каменщик — мастерок, фермер — серп, булочник — квашню, а кабатчик — бутыль. Решительно все отправились на прииски: одни верхом на лошади, другие в двуколках, инвалиды на костылях, а то и на носилках… В моем городе остались одни лишь женщины да несколько арестантов, которых сторожил солдат, ожидавший удобного случая, чтобы сбежать…» В конечном итоге и сам преподобный Колтон устремился вослед «золотому тельцу».

Первый американский губернатор Калифорнии Мэйсон проехал по землям Новой Гельвеции и составил в Сенат США отчет об увиденном: «…пустые мельницы, хлебные поля, оставленные на потраву скоту и лошадям, брошенные дома, незасеянные поля близ ферм». Оставшееся в одиночестве семейство Саттеров могло лишь в бессилии наблюдать за нашествием саранчи в человеческом обличье, которая вытаптывала посевы, резала скот и крала лошадей, грабила все подряд и без стеснения обживала их земли. Здесь признавался только один авторитет: «шестизарядный мистер Кольт».

К началу следующего года лихорадка приняла характер эпидемии. «Со времен Крестовых походов не было такого ажиотажа», — написала нью-йоркская «Геральд». В погоню за «желтым дьяволом» пустились янки и европейцы, китайцы и латиноамериканцы. В гавани Сан-Франциско стояли на якоре десятки иностранных кораблей, капитаны которых потеряли надежду разыскать сбежавшие экипажи. Калифорнийский житель Дон Фернандес саркастически писал о 1849 годе как о «великом годе импорта»: «Австралия посылала сюда своих преступников, Италия — музыкантов, Германия — парикмахеров и любителей пива, Англия — боксеров, Франция — сутенеров и проституток, Мексика — игроков в монте, Чили — воров и карманников...»

Земляк Саттера, сын немецкого торговца-лоточника Леви Страусс нашел здесь собственную золотую жилу. Он начал шить из парусины «рабочие комбинезоны без бретелей с карманами для ножа, денег и часов». В качестве красителя Страусс выбрал самый стойкий на тот момент индиго (темно-синий). Прочные и практичные штаны-джинсы нашли быстрый спрос среди старателей и лесорубов, фермеров и ковбоев. Задуманные как универсальная рабочая одежда, джинсы завоевали мир, став уже в следующем веке частью высокой моды.

Новости о фантастическом открытии дошли и до российской столицы. Запоздалую попытку принять участие в мировой лихорадке предпринял сам Николай I. 17 февраля 1850 года император «повелеть соизволили: объявить Российско-американской компании, что полезно бы оной заняться по примеру других частных лиц добыванием золота в Калифорнии». В «Новый Эльдорадо» направили партию старателей под начальством поручика Корпуса горных инженеров Петра Дорошина. Намыли сущий пустяк — десяток пудов — наемные работники российской компании в большинстве своем разбежались по разным приискам. Здесь же в погоне за удачей разорился оставивший семью, службу и литературное поприще в Петербурге бывший комендант форта Росс Александр Ротчев. Используя известный афоризм, можно сказать, что история «золота дураков» повторилась дважды: сначала в виде трагедии, затем в виде фарса.

Многим, особенно в начале золотой лихорадки, удалось сорвать солидный куш. Зачастую шальное состояние терялось тут

Сан-Франциско в 1850-е годы

же от пули или ножа, дизентерии или тифа, в алкогольном дурмане борделя или игорного дома. Еще один земляк Саттера, некто Й. Мюллер оставил следующие воспоминания: «Множество людей с безумным рвением подставляли себя обжигающим лучам солнца, неустанно долбя лопатой и круша киркой каменистую почву, пока не падали замертво… Многим приходилось проводить большую часть времени в ледяной воде да при этом пить чрезмерное количество поистине отравляющих напитков, чтобы поддерживать свои силы…» Цены на все поднялись неимоверно. За плохонькое одеяло старатели платили сто долларов, за бутылку мутного виски — унцию золота. Картофель был самым большим деликатесом, за который расплачивались только золотым песком. Некий Федор Кабачков из Сан-Франциско, зарабатывал в год немыслимые восемь тысяч долларов, продавая лук с одной десятины.

В Калифорнии как грибы появлялись новые «лихорадочные» поселения. Рядом с ранчо Саттера из ничего возник город Сакраменто — с гостиницами и барами, биллиардными и казино, аукционами и домами терпимости. В 1854 году Сакраменто был объявлен столицей штата. Здесь же появилась первая в этих краях железная дорога.

К этому времени Джон Саттер снова собрался с силами. Он подал иск в Верховный суд Калифорнии, требуя возвращения

Александр Ротчев

собственных земель (на которых выросли города Сакраменто и Сан-Франциско) и многомиллионную компенсацию своих убытков. Саттер также настаивал на получении значительной доли со всего намытого в Новой Гельвеции золота.

Слушания по делу Саттера растянулись на четыре года и стоили истцу неимоверных усилий и материальных средств. И судьба, казалось, улыбнулась ему: весной 1855 года Верховный судья штата Калифорния Томпсон признал законными права Джона Саттера на свои земли. Это означало что швейцарец вновь станет единоличным владельцем огромного золотоносного региона с его городами, дорогами, плантациями.

Когда весть о судебном решении стала известна в Сан-Франциско, разразилась буря, сравнимая с европейскими революциями. Тысячи разъяренных старателей, фермеров, владельцев недвижимости, торговцев, на чьи интересы посягнул наглец Джо Саттер, взяли приступом и сожгли здание суда со всеми бумагами. Судья Томпсон чудом избежал линчевания. Разъяренные толпы громили оставшееся имущество швейцарца: его фермы и строения были преданы огню, виноградники вытоптаны, все имущество обращено в прах. Сам Саттер едва спасся, но его сыновья погибли. Не выдержав испытаний, вскоре умерла и жена. Всесильный владелец Новой Гельвеции, лишь недавно выпустивший монету со своим именем, человек, купивший русскую крепость и залив Румянцева, в считанные недели превратился в нищего старика с помутившимся от горя рассудком.

На протяжении еще двадцати лет полубезумный Джон Саттер обивал пороги адвокатских контор в Вашингтоне. Оборванный калифорниец стал среди столичных чиновников притчей во языцех, кочуя из одного суда в другой, из сенатских приемных — в офисы Конгресса. В его мозгу осталась лишь одна навязчивая идея: вернуть принадлежавшие ему земли и капиталы. Вялая американская бюрократическая машина иногда заглатывала, но затем неизменно выплевывала его очередной иск. Некогда рассчитывавший стать одним их богатейших людей мира, Джон Саттер скончался в вашингтонской ночлежке в 1880 году.

«Войдя в жизнь богатый надеждами и всякого рода планами, он умер положительным бедняком, на руках чужих людей», — говорилось в некрологе Александра Ротчева в одной из петербургских газет. Одаренный литератор, автор «Очерков северо-западного берега Америки» и «Нового Эльдорадо в Калифорнии», Ротчев выбрал эпитафию для собственного надгробия: «Он был человек, и как человек — заблуждался».

Не всем обитателям Новой Гельвеции довелось увидеть главное из исторических последствий открытия золота — стремительное экономическое развитие американского Запада. Если в 1848 году до Калифорнии добрались всего четыреста фермеров, то уже на следующий год золотая лихорадка привлекла сюда десятки тысяч переселенцев. Новые города и новые экономические предприятия в короткий срок превратили некогда безлюдную страну в один из самых динамично развивающихся штатов Америки. Именно за это Калифорнию сегодня называют «Золотым штатом».

Хроника XIX столетия

1845 — В США насчитывается более трех тысяч миль железных дорог (в два раза больше, чем во всей Европе).

1845–1849 — президентство Джеймса Полка.

1845 — установлен общенациональный день выборов президента США — первый вторник ноября.

1845 — Эдгар По опубликовал сборник «Ворон и другие поэмы».

1846 — в Вашингтоне основан Смитсоновский институт, крупнейший в стране комплекс музеев и научных учреждений.

1846–1848 — Американо-мексиканская война.

1846–1861 — в состав США вошли шесть штатов: Айова, Висконсин, Калифорния, Миннесота, Орегон, Канзас.

1849–1850 — президентство Захари Тэйлора.

1850 — население страны превысило 23 миллиона; в составе федерального Союза 31 штат. Чисто иммигрантов, въехавших в страну в этом году: 369 980.

В ТРИДЕСЯТОМ ЦАРСТВЕ

Бессонница. Гомер. Тугие паруса.

О. Мандельштам

Марк Твен писал об американском Западе: «Страна эта сказочно богата золотом, серебром, медью, свинцом, железом, ртутью, ворами, убийцами, бандитами, дамами, детьми, адвокатами, христианами, индейцами, китайцами, испанцами…» Андрей Аристович, петербургский купец первой гильдии, мог стать достойным украшением списка Марка Твена. Обрусевший немец, изъяснявшийся на древнегреческом и других экзотических языках, искал свое «золотое руно» на разных полюсах земли.

Мекленбургский пастор Эрнст Шлиман, помимо проповедей, отдавал заметное предпочтение можжевеловому шнапсу и ладным деревенским девушкам. Его сын Генрих не поладил с мачехой и в один прекрасный день покинул родительский дом. Образование пасторский сын получил весьма формальное, а из своего не слишком счастливого детства припоминал лишь красивое немецкое издание «Илиады» и «Одиссеи».

Генрих Шлиман часто испытывал судьбу, но она всегда оказывалась к нему благосклонна. Будучи фаталистом, уже в зрелом возрасте Шлиман пришел к выводу, что от тяжелой и нудной работы в бакалейной лавке его спасла бочка с цикорием: как-то, подняв ее, он надорвался, и у него пошла горлом кровь. Уволившись, Генрих отправился пешком в Гамбург. Служба приказчиком в порту ему не нравилась. Шлиман был убежден, что в Новом Свете его ждут совсем иные свершения, и в 1841 году, продав фамильные часы, он сел на корабль, отправлявшийся за океан.

В рождественскую ночь тяжело нагруженный корабль попал в сильный шторм и стал тонуть. Шлиман успел выбраться на па-

Г. Шлиман

лубу, но ледяная волна смыла его за борт, а плавать Генрих не умел. Рядом с ним оказался деревянный бочонок, который держал несчастного на плаву, пока его не подобрал случайный корабль. Бедняга в одном белье добрался до побережья Голландии, где обнаружилось, что багаж Шлимана, единственный из всего груза, выброшен на берег в целости и сохранности.

В Амстердаме Генрих жил в кошачьей мансарде, перебивался с хлеба на воду, одно время даже пытался записаться в голландские колониальные войска. Старый военный врач, выслушав и простучав грудь Шлимана, сказал, что чахоточных на службу не берут.

К тому времени двадцатилетний Шлиман открыл в себе удивительный дар: он с легкостью усваивал иностранные языки. Сидя по ночам в своей каморке, Генрих заучивал и декламировал самые заковыристые обороты иноземной речи. Всю жизнь мечтавший познать древнегреческий, чтобы в оригинале прочесть Гомера, Шлиман начинал с голландского и французского, а затем перешел на русский.

Трудно поверить, но значительная доля успехов в изучении русского языка досталась Шлиману благодаря «Тилемахиде» В. Тредиаковского — сомнительного качества переводу с французского романа Фенелона «Приключения Телемака». Не помешал ни тяжелый язык восемнадцатого века, ни то, что оригинал написан прозой, а перевод — гекзаметром. За неимением других источников славянской лексики Генрих вызубрил также нецензурные поэтические опусы Баркова в потрепанной русской книжонке, найденной им в амстердамской лавке.

С таким языковым багажом после трех месяцев занятий Шлиман проводит переговоры с российскими купцами, вызывая своим русским не только гомерический смех, но и серьезное внимание к себе. Результатом стало приглашение его в качестве представителя голландской компании в Санкт-Петербург.

Шлиман оказался на редкость сметливым и энергичным бизнесменом. В основном он занимался оптовой торговлей индиго, но ввозил в Россию также чай, сандал, кошениль, кофе, хлопок, селедку, бумагу и многое другое, включая оружие и луковицы тюльпанов. Природные и развитые качества новоявленного российского негоцианта замечательным образом дополняла госпожа удача, не оставлявшая его без внимания. В Петербурге разразилась эпидемия холеры — Шлимана она обошла стороной. В порту Мемеля случился пожар — дотла сгорело все, остались только товары Шлимана.

Тем не менее Андрей Аристович — так его теперь величают — вынужден был бросить успешно начатое дело и в марте 1850 года отправиться в США. Причиною были дела семейные: младший брат Людвиг, оказавшийся на Диком Западе во время золотой лихорадки, умер от тифа в Сакраменто. Генрих вновь рискнул пересечь океан, чтобы уладить денежные дела брата и попробовать себя в Новом Свете.

Сакраменто, про который говорили, что здесь «даже улицы вымощены золотом», оказался пыльным городишком с наспех поставленными дощатыми домами. После сильных ливней его улицы становились похожими на грязевые реки и прохожие порой проваливались по колено. Шлиман меланхолично записал в дневнике: «Число могил на кладбище превышает число жителей города».

В Сакраменто русский немец открыл один из первых в здешних местах банков. «Мистер Генри» покупал у старателей золотой песок и принимал в залог под проценты. Процент был высоким, а залог краткосрочными ибо менее всего здесь ценилась человеческая жизнь. Шлиман привык спать, держа в обеих руках по револьверу, и стал свидетелем того, как во время эпидемии желтой лихорадки умерших просто сбрасывали в бурные воды реки Сакраменто.

«Золотой песок прибывал в изобилии и я покупал в среднем 150 фунтов в день», — отмечал в дневнике новоявленный калифорниец. Все восемь европейских языков, на которых говорил Шлиман, пригодились ему в Сакраменто. «Встаю в пять утра, чтобы открыть свой бизнес в шесть. Мы закрываемся в десять и офис весь день полон народу, так что редко удается пообедать раньше восьми вечера».

В ночь на 4 июня 1851 года банкир был разбужен криками в гостинице в Сан-Франциско: он оказался эпицентре чудовищного пожара, дотла уничтожившего весь город. В ту ночь Генриху удалось спастись на вершине Телеграфного холма, самой высокой точке Сан-Франциско. Шлиман отметит качества американцев, которые особенно удивили его: «Я видел большое число немцев, французов, англичан, в отчаянии рыдавших на своих пепелищах. Американцы же вовсе не обескуражены, смеются и подтрунивают над собой, как будто ничего не случилось, и тут же начинают заново отстраиваться, утром следующего дня, когда пепел даже не остыл».

Однажды после сильных проливных дождей прорвало плотину на реке Сакраменто и город оказался затоплен по первые этажи. Разорились почти все городские бизнесы. Шлиман возвращался домой по пояс в воде. Контора «мистера Генри» стояла на небольшой возвышенности. Беда вновь миновала его.

В Калифорнии Генрих все-таки подхватил желтую лихорадку, но даже в полубреду он продолжал с немецкой педантичностью взвешивать на аптекарских весах золотой песок и ни разу не дал себя обсчитать. Много лет спустя в одном из писем своему дяде он признался: «Поверьте, всегда, в самые трудные для меня мгновения в жизни, в ушах моих звучали божественные строки Гомера». Америка, деятельная и рискованная, Шлиману определенно нравилась, но приступы лихорадки случались с пугающей периодичностью. Опасаясь разделить участь младшего брата, он перевел деньги в банк Ротшильда и взял билет на пароход до Панамы. Путь в Старый Свет оказался не менее тяжелым. Генрих и его спутники сбились с пути, пересекая панамский перешеек. В течение двух недель они шли к атлантическому берегу под проливным дождем и единственной пищей им было сырое мясо ящериц-игуан. Но в тропиках, которые Шлиман сравнивал с русской парной, он мечтал о своей Пенелопе.

Тридцатилетний коммерсант, сделавший состояние на калифорнийском золоте, оказался выгодным женихом в русской столице. Впрочем, его первая помолвка распалась, когда маленький невзрачный Шлиман увидел, как его суженая откровенно флиртует на балу с красавцем гвардейским офицером. Новой избранницей Андрея Аристовича стала юная Екатерина Петровна Лыжина, племянница его многолетнего партнера купца С. А. Живаго. От того представителя старинного московского семейства тянется родственная связь к знаменитому персонажу Пастернака. На этом литературные сплетения не заканчиваются.

Уголок старого Сакраменто

Брат невесты Павел Петрович, присяжный поверенный, настолько преуспел в денежных спорах, что стал прототипом П. П. Лужина из «Преступления и наказания».

Отдадим должное Андрею Аристовичу — сколько немцев, англичан, голландцев, французов, приехав в Петербург, растворились в этом городе, не оставив о себе следа. Сохранилась фотография Шлимана петербургских времен: перед нами представительный господин в тяжелой меховой шубе. Этот дагерротип он подарил жене мекленбургского лесничего, которую знал еще маленькой девочкой. На оборотной стороне гордая подпись: «Фотография Генриха Шлимана, ранее ученика у господина Гюкштедта в Фюрстенберге, ныне оптового купца первой гильдии, русского потомственного почетного гражданина, судьи в Санкт-Петербургском торговом суде и директора Императорского государственного банка в С-Петербурге».

Шлиман никогда не терял связь с Америкой и, отправляя из Петербурга письма друзьям в Калифорнию, неизменно справлялся о делах «в нашем штате». Русский купец инвестировал в железные дороги на Среднем Западе и с удовлетворением отметил, что американские акции «приносят десять процентов годовых». Вновь отправившись в США, Шлиман под видом простого пассажира инспектирует новые магистрали. «Мистер Генри» встречается с деловыми людьми и сенаторами, членами кабинета министров и президентом Эндрю Джонсоном. Шлиман исколесил всю страну и оставил весьма обширные заметки о Соединенных Штатах. В Америке он стал ярым сторонником совместного обучения — после посещения школ в Чикаго, Шлиман, что для него характерно, записал в дневник даже размеры школьных парт.

К этому времени шлиманская формула счастья — русская жена и миллион долларов — перестала работать. Брак оказался неудачным, несмотря на рождение сына и двух дочерей. В огромной квартире на первой линии Васильевского острова разыгрывались шекспировские страсти. Екатерину Петровну вовсе не радовали возвращения мужа из длительных командировок (избегая встреч, она уезжала в эти месяцы в Крым). К тому же супруга открыто насмехалась над его «детскими» увлечениями греческими сказками. «Не привози с собой Гомера», — таков рефрен ее писем.

Православное Рождество 1867 года сорокапятилетний бизнесмен встретил в одиночестве в отеле в Вашингтоне. Он знал все об экспорте русского хлеба и американского хлопка, но не понимал, как ему жить дальше. «Многое бы отдал я за то, чтобы провести сочельник с моими дорогими Сережей, Наташей и Надей», — записал Шлиман в дневнике. Он купил для семьи дома в Париже и Дрездене и обещал дать им лучшее по тем временам образование. Екатерина ответила мужу, что дети останутся в России и будут воспитаны в православной вере. По сути у него не было ничего, кроме старой, зачитанной, купленной на медные деньги гомеровской «Илиады».

Калифорния вошла в федеральный союз 4 августа 1850 года. Шлиман, как и все находившиеся в этот день на территории 31-го американского штата, автоматически получил право на гражданство США. 30 июня 1869 года в Мэрион-корте — суде общегражданских исков города Индианаполиса — истец Генри Шлиман поставил размашистую подпись под документом о разводе. Семье в Петербурге он назначил солидное содержание.

На «перекрестке Америки», как тогда именовался штат Индиана, новый гражданин страны, владелец двух домов в столичном Индианаполисе, руководил крупнейшим в стране производством крахмала. Отсюда он отправил письмо своему старому другу, греческому епископу Вимпосу с весьма необычной просьбой. Генрих решил жениться на девушке-гречанке с хорошим образованием и крепкими моральными устоями. Целью брака должно было стать «изучение Гомера и совместные поиски Трои». Из предложенных кандидаток он остановился на Софье Энгастроменос, дочери красильщика с Крита (как отметил Вимпос, Генрих «обнаружил и немецкую основательность, и американскую расторопность»).

Жених из Нового Света подверг Софью строгому экзамену. Девица знала, в каком году император Адриан посетил Афины, выразительно продекламировала несколько отрывков из «Одиссеи», но затем случился конфуз. Когда неказистый, лысеющий Шлиман, явно волнуясь, спросил у Софьи, которая была младше его почти на тридцать лет, почему та хочет выйти за него замуж, невеста простодушно ответила: «Потому что вы богатый». Впрочем, как выяснилось, этот брак оказался долгим и счастливым.

В то время, как Софья Шлиман производила на свет двух детей — дочь Андромаху и сына Агамненона — отец семейства настойчиво искал прах их знаменитых тезок. Сотни книг описывают приключения Шлимана в Малой Азии, на холме Хиссарлык, где он намеревался отыскать развалины легендарной Трои. Ни одному чудаку на свете не могло придти в голову использовать текст «Илиады» в качестве точной инструкции для поисков кладов.

Шлиман бросал вызов всему ученому миру, давно уверовавшему, что стихи Гомера — красивый миф вроде несуществующей Атлантиды. Искать сокровища Трои было почти тем же самым, что охотиться за золотом Али-Бабы в тридесятом государстве. Самоуверенный фантазер, не имевший академического образования, с лопатой в руках отправился на поиски античных героев, которые были для него такой же реальностью, как чикагская железная дорога или нью-йоркская фондовая биржа.

На холме Хиссарлык многое напоминало времена калифорнийской золотой лихорадки: палящий дневной зной, сменяющийся холодным осенним дождем; осыпающиеся стенки шурфов, болотистые испарения, москиты, ядовитые змеи, рабочие-копатели со всех сторон света. Генрих работал, как одержимый, но отыскал лишь груды камней и битых глиняных черепков. Его вашингтонские партнеры только разводили руками — свихнувшийся бизнесмен решил пустить по ветру свои миллионы.

Четыре года раскопок в заброшенной турецкой земле доказали даже упрямцу Шлиману бесполезность дальнейших усилий. В мае 1873 года он написал сыну Сергею: «Мы устали и навсегда прекращаем наши поиски Трои 15 июня». Но в предпоследний день раскопок заступ рабочего задел кусок каменной кладки, за которой Генриху почудился медный блеск. Поистине с одиссеевым хитроумием Шлиман попросил жену объявить оплаченный выходной — по случаю «дня рождения хозяина». Все с воплями радости разошлись (бдительный турецкий сторож ушел тоже), а супруги с риском для жизни самостоятельно продолжили подкоп и отрыли медный сундук. Взору четы предстали несколько тысяч золотых украшений: кубки, серьги, ожерелья, диадемы… Это были, по глубокому убеждению Шлимана, сокровища царя Приама, припрятанные от грабителей-ахейцев.

В 1875 году триумфатор Шлиман написал археологу Н. К. Богушевскому: «Я провел двадцать лет в Петербурге и все мои симпатии принадлежат России, поскольку я бы очень хотел, чтобы эта коллекция попала именно в эту страну, я прошу у русского правительства 50.000 фунтов, а в случае необходимости готов снизить эту цену до 40.000». В это время его находки экспонировались в Лондоне. Но роман с Россией опять не заладился. Спустя три года Шлиман еще раз обращается к Богушевскому: «Я пожелал бы, чтоб троянские мои древности поступили в Эрмитаж, потому что я капитал свой приобрел в России и надеюсь, что древности мои могут быть причиной возвращения моего в Россию…» Обращение остается без ответа.

Европейская официальная наука не желала признавать открытия Шлимана: «Можно ли относиться всерьез к филистеру, который нажил состояние на контрабандной торговле и промышлял золотоискательством в стране ковбоев?» Мало-помалу ученый мир пришел к выводу, что настоящая Троя находилась в тех слоях, которые Шлиман разметал, посчитав малоинтересными, а «сокровища Приама» относились к другой, ранее не известной цивилизации, существовавшей примерно за тысячу лет до описанных Гомером событий. Подобно тому, как Колумб в поисках Индии открыл неведомый Новый Свет, Генрих Шлиман открыл мир более удивительный, чем тот, что искал. Он и впрямь не раз ошибался: путал датировки раскопок, наивно принимал желаемое за действительное, зачастую действовал непрофессионально и напролом. Официальная археология этого ему никогда не простила.

В 1880-х годах Шлиман прислал в Петербург на имя сенатора А. А. Половцова 180 предметов из своих археологических находок, очевидно, с целью получить возможность с помощью этого вельможи вернуться в Россию. В 1883 году он делает предложение Императорской Археологической комиссии провести дорогостоящие раскопки близ Батуми, в стране легендарного «золотого руна» и обещает передать все находки в Эрмитаж. Князь И. А. Васильчиков, директор Императорского Эрмитажа, в рапорте министру двора И. И. Воронцову-Дашкову советует принять предложение: «Мне кажется, что никак не следовало бы, буде встретятся возможности к разрешению г. Шлиману возвратиться в Россию, отклонить прибыльное его предложение... дело это принесет пользу казне, не вводя казну в издержки».

Император Александр III отказался даровать «блудному русскому» свое «всемилостивейшее помилование» (имелось в виду американское гражданство Шлимана и его «незаконный» второй брак). Так рухнули мечты Генриха отыскать следы греческих аргонавтов в Колхиде. О снятии запрета на въезд Шлимана в Россию впоследствии безуспешно ходатайствовали его сын С. А. Шлиман, академик М. М. Ковалевский, профессор Московского университета И. В. Цветаев (отец М. И. Цветаевой). Сам бывший почетный гражданин Санкт-Петербурга к тому времени вновь удивил ученый мир своими успешными раскопками в Микенах и Тиринфе, а найденное им золото из гробниц микенских царей назовут величайшим археологическим открытием XIX века.

Остаток жизни Шлиман провел в Афинах, где выстроил виллу в стиле «американский нувориш», с видом на Парфенон и богатыми росписями на темы своей жизни в Старом и Новом Свете. Его посмертная слава оказалась противоречивой. Шлимана называли авантюристом-кладоискателем, мародером и контрабандистом. В разных странах о нем писали монографии и слагали легенды: немцы почитали его как земляка, завещавшего свои сокровища Берлинскому музею, американцы — как гражданина их страны, воплотившего дерзновенный дух американских пионеров, греки — как глашатая древней истории Эллады. Русские на Шлимана не претендовали.

Тем не менее, легендарному «кладу Приама» суждено было оказаться в России. В мае 1945 года советские войска обнаружили среди огня и разрушений спрятанную в берлинском зоопарке коллекцию Шлимана. Бесценный груз в условиях особой секретности переправили из Берлина на Лубянку. Еще полвека кремлевские власти категорически отрицали наличие золота Шлимана в России. Считавшиеся навсегда утерянными, троянские сокровища в августе 1993 года были извлечены из специального хранилища и выставлены в Государственном музее изобразительных искусств имени Пушкина. Так в Москве впервые увидели золотые грезы Андрея Аристовича.

Хроника XIX столетия

1850–1853 — президентство Милларда Филмора.

1851 — Герман Мелвилл опубликовал роман «Моби Дик».

1852 — Гарриет Бичер-Стоу опубликовала роман «Хижина дяди Тома».

1852 — Бет Хамидраш — первая в США конгрегация евреев-выходцев из России.

1853–1857 — президентство Франклина Пирса.

1854 — основана Республиканская партия США.

1856 — состоялся первый обмен книжными коллекциями между Смитсоновским институтом (Вашингтон) и Петербургской академией наук.

1857–1861 — президентство Джеймса Бьюкенена.

1859 — в Пенсильвании пробурили первую в стране нефтяную скважину.

В ПОИСКАХ САНКТ-ПЕТЕРБУРГА

В Соединенных Штатах насчитывается без малого дюжина Петербургов — в штатах Мичиган и Огайо, Нью-Йорк и Небраска, Индиана и Западная Вирджиния. Многие из них заслуживают упоминания лишь в качестве курьезов американской топонимики. Есть даже крошечный рыбацкий Петербург на далекой, но не чуждой русскому сердцу Аляске. Известная писательница Нина Берберова, жившая одно время в Пенсильвании, увековечила местный «город Петра» в повести «Леди из Санкт-Петербурга».

И все же некоторые из американских Петербургов имеют любопытную историю. Самый старый из них находится в штате Вирджиния и возник он за тридцать лет до рождения Петра I. Петербург был заложен как крепость на берегах реки Аппоматокс. Отсель поселенцы грозили индейцам и, впоследствии, британцам. При строительстве Петербурга, как известно, широко использовался подневольный труд, и многие из его первых строителей не вынесли тяжелого, то есть жаркого, местного климата. Мы не случайно упомянули Петра Великого: истово насаждаемый им в России табак — «трава никоциана» — был представлен лучшими сортами с плантаций Вирджинии.

Одна из американских энциклопедий утверждает: «Исключительную историческую роль Петербург сыграл в годы революции и, затем, Гражданской войны». Истинный петербуржец — по обе стороны океана — не сможет не согласиться с таким заявлением. Только в истории США эти два важнейших события разделяют восемьдесят лет. А во время войны 1812 года американский Петербург получил прозвище «Кокардовый город» из-за залихватских, украшенных перьями шляп, которые носили его защитники. Несмотря на всю лихость и гусарство, «гроза двенадцатого года» не обошла обе страны: Наполеон спалил Москву и Кремль, англичане же захватили и сожгли американскую столицу с Белым домом.

Петербург — штат Вирджиния

В 1833 году здесь была открыта первая железная дорога, связавшая два американских штата. Путешествие по железной дороге из Петербурга в Северную Каролину было недолгим, всего несколько часов. «Петербург — крупный образовательный и культурный центр» — это из той же энциклопедии. Здесь находится университет штата и ряд исторических музеев, среди которых есть и Музей осады Петербурга.

То была героическая оборона. В 1864–1865 годах, во время Гражданской войны, Петербург выдержал самую длительную и тяжелую в американской истории осаду, которая отвлекла значительные силы неприятеля от штурма столицы Юга.

Интересная деталь: есть в Вирджинии и город Москва. Здешняя крошечная Москва значительно провинциальнее Петербурга и никак не претендует на роль столичного города. Москвичи ведут неторопливый, полусельский образ жизни. В Вирджинии расстояние от Петербурга до Москвы составляет около ста километров. При этом по пути лежат городки Пальмира и Верона.

Другой американский Петербург расположен значительно севернее, в центральной части штата Иллинойс. Так и хочется написать: «Среди бескрайних, необжитых земель, под северным небом, в первой трети XIX века был основан город». Этот Петер-

Петербург — штат Иллинойс

бург находится в центре огромного сельскохозяйственного региона, в окружении необъятных кукурузных полей. Ближайший к нему городок носит название Афины. От Петербурга до Афин просто рукой подать: меньше часа езды.

Впрочем, и в такой глухой провинции кипели свои нешуточные страсти. Среди первых петербуржцев был молодой Авраам Линкольн, работавший землемером и почтмейстером. Историки утверждают, что здесь будущий президент США повстречал свою первую любовь Анну Ратледж. Та повесть была печальной: юная Анна была обручена с другим, а когда неудачная помолвка распалась, Анна, к великому горю Линкольна, скончалась от чахотки в возрасте 23 лет. История, достойная пера лучших представителей русской романтической петербургской прозы.

Американская литература подарила миру вымышленный город Санкт-Петербург, который, тем не менее, известен каждому с детства. В этом городе жили любимые литературные герои Марка Твена — Том Сойер и Гекльберри Финн.

Самый большой из «городов-тезок» находится на западном побережье Флориды. Здесь душа выходца с берегов Невы может возрадоваться. Флоридский Санкт-Петербург был назван не в память каких-то малоизвестных англосаксов, а в честь сто-

Санкт-Петербург, Флорида — 1920-е годы

лицы Российской империи. Основателем города считается русский предприниматель Петр Дементьев, проложивший сюда в 1888 году железную дорогу и построивший среди флоридских болот здание вокзала в русском стиле. Петр Алексеевич Дементьев был уроженцем «Северной Пальмиры», служил в императорской гвардии в чине капитана. Эмигрировав за океан, он сменил имя на более произносимое Питер Деменс и занялся, с переменным успехом, предпринимательством. К несчастью, строительство железной дороги и закладка Санкт-Петербурга полностью разорили его. Ныне здесь, у берега моря, разбит парк его имени, где поставлен обелиск основателю города.

В 1914 году «град Петра» стал свидетелем грандиозного по тем временам события. Здесь открылась первая в мировой истории коммерческая авиалиния. Петербургские аэропланы совершали полеты над заливом, — не Финским, но Мексиканским. Пассажирский билет стоил немалые деньги: пять долларов.

Субтропический Санкт-Петербург быстро стал центром туризма. Коренные петербуржцы живут под пальмами, среди великолепных пляжей. Средняя зимняя температура флоридского Санкт-Петербурга равна средней летней температуре «Северной Венеции». Американские петербуржцы так уверены в своей хорошей погоде и гордятся ею, что одна из местных газет имеет давнюю традицию не выходить в те дни, когда нет солнца. Большие петербургские мосты связывают город с близлежащими

Современный Санкт-Петербург — штат Флорида

флоридскими курортами, из-за чего его прозвали «городом мостов». Главная ежедневная газета называется «Санкт-Петербургское Время». В городе есть несколько колледжей, три театра, Музей изящных искусств и Музей истории Санкт-Петербурга.

Полному тезке первого русского императора не довелось увидеть расцвет своего детища. Петр Алексеевич продал железнодорожные акции и переселился в Калифорнию, где содержал прачечную. В 1893–1914 годах Дементьев активно сотрудничал с петербургским (русским) журналом «Вестник Европы». Его очерки и статьи выходили под псевдонимом П. А. Тверской. Сегодня имя Питера Деменса мало что говорит как русским, так и американцам. Полузабытая и полулегендарная личность, он тем не менее оставил свой след на карте Америки и создал столь необычный памятник во славу российского Санкт-Петербурга.

Хроника XIX столетия

1860 — население Соединенных Штатов составило 31 443 321 человек.

1861–1865 — Гражданская война в США. Промышленный Север (23 штата) под руководством президента Авраама Линкольна одержал победу над рабовладельческим Югом — Конфедерацией, куда входили 11 штатов.

1862 — закон о гомстедах, предусматривающий выделение наделов из фонда общественных земель любому гражданину страны или переселенцу, претендующему на гражданство.

1863 — «Прокламация об освобождении рабов» президента Линкольна. Окончательно рабство отменено в 1865 году принятием XIII поправки к конституции США.

1863–1867 — в состав Союза вошли три штата: Западная Вирджиния, Невада и Небраска.

1865 — Авраам Линкольн — первый глава Белого дома, убитый во время президентства.

АФИНСКАЯ ГРОЗА

В городе Афины в штате Алабама уже полтора столетия недобрым словом поминают одного русского полководца. В годы Гражданской войны Джон Турчин стал единственным выходцем из России, получившим чин генерала американской армии. Подлинное имя героя — Иван Васильевич Турчанинов.

Иван Турчанинов родился в январе 1822 года в Новочеркасске в семье отставного майора, помещика «из дворян Войска Донского». Он прошел все этапы постижения военной профессии: учился в Первом кадетском корпусе в Санкт-Петербурге, закончил в звании поручика Михайловское артиллерийское училище и начал военную карьеру с венгерского похода летом 1849 года.

Император Николай I, обеспокоенный активным участием поляков в восстании за независимость Венгрии и опасаясь за свои польские владения, легко согласился на просьбу австрийского императора Франца-Иосифа о помощи. В мятежную Венгрию вошел 80-тысячный русский корпус, в составе которого была батарея конной артиллерии под командой поручика Турчанинова.

Выходец из преданного царю казачьего сословия Иван Турчанинов быстро сделал военную карьеру. Он закончил с серебряной медалью Академию Генерального штаба по отделению фортификации, а во время Крымской войны служил в императорской гвардии, проектируя системы береговых укреплений Финского залива от Нарвы до Петербурга. Затем, уже в чине гвардии полковника, Турчанинов оказался в свите цесаревича Александра Николаевича, будущего императора Александра II.

Согласно легенде, находясь в Варшаве, молодой офицер познакомился с дочерью князя Львова, непосредственного начальника Турчанинова по службе. Отец не дал дочери согласия на брак с неродовитым донским казаком. Тем не менее, влюбленные тайно венчались, Иван Турчанинов оставил армию, и супруги спешно уехали за границу.

Иван Турчанинов

В середине XIX века эмиграции из России в Соединенные Штаты практически не было. В 1851 году, согласно официальной статистике, в Америку прибыл всего один русский эмигрант, в 1852 году — еще двое, а в 1853 году — трое. Лишь два десятилетия спустя, с развитием народнического движения, началась первая российская волна эмиграции в США. По капризу судьбы бывший полковник генерального штаба Турчанинов оказался первопроходцем, чей путь был повторен впоследствии многими его соотечественниками.

На пути в Америку, в Лондоне, Иван Турчанинов познакомился с А. И. Герценом. Некоторые российские исследователи делают из этой встречи вывод о либерально-демократических взглядах гвардейского полковника, побудивших его к уходу из армии и отъезду в США. Никаких утвердительных свидетельств тому не нашлось. Уже из Штатов Турчанинов написал письмо Герцену, где упомянул «короткое наше знакомство» и сетовал на неудачные попытки найти в Новом Свете применение своим знаниям. «Что касается до меня лично, — писал он, — то я за одно благодарю Америку: она помогла мне убить наповал барские предрассудки и низвела меня на степень обыкновенного смертного. Никакая работа, никакой труд для меня не страшен; никакое положение меня не пугает; мне все равно, пашу ли я землю и вожу навоз или сижу с великими учеными новой земли в богатом кабинете и толкую об астрономии».

В 1856 году Турчаниновы приобрели надел земли на Лонг-Айленде (штат Нью-Йорк), где пытались фермерствовать, но без особого успеха. Через пару лет неудачного «землепашества» они подались на американский Запад, о бескрайних возможностях которого в среде эмигрантов ходили легенды. К этому времени Иван Васильевич изменил свое имя на более произносимое Джон Базиль Турчин. Он несколько раз менял род занятий, пока не получил в 1859 году должность инженера-топографа на Иллинойской центральной железной дороге. Среди новых знакомых Турчина оказался и мало известный тогда за пределами штата Иллинойс Авраам Линкольн, служивший юрисконсультом в той же железнодорожной компании.

12 апреля 1861 года раздались первые выстрелы, возвестившие о начале кровопролитной Гражданской войны. Новый президент США Линкольн объявил о наборе в федеральную армию. Начало американской военной карьеры Турчина описал историк русской эмиграции В. П. Петров: «В июне 1861 года добровольцы Иллинойса, укомплектовавшие два полка, 19-й и 21-й, решили провести выборы своих ротных и полковых командиров. На пост командира 19-го полка были выставлены две кандидатуры: Турчин и бывший армейский капитан Улисс Грант. Последний ничем особенно не выделялся, и добровольцы 19-го полка предпочли ему «дикого казака» Турчина». Как известно, Улисс Грант стал впоследствии главнокомандующим армии США, а после войны — 18-м американским президентом.

Кадровый военный, Турчин превратил вверенный ему добровольческий полк в хорошо обученное и боеспособное подразделение, не раз применявшее на практике «русский штыковой бой». Среди прочих «европейских» методов войны были и реквизиции продовольствия и фуража среди населения мятежных штатов, что вызывало многочисленные жалобы на «дикого казака» федеральному командованию. Генеральская дочь Надежда Львова пошла в полк к мужу сестрой милосердия, что было тогда нарушением воинского устава. Известно также, что полковник Турчин прятал в расположении своих войск беглых рабов с южных плантаций.

Некоторые историки считают русского офицера изобретателем бронепоезда — его железнодорожный состав, обшитый толстым железом и с пушками на платформах наносил немалый урон противнику. Однажды Турчины чудом остались живы: под проходившем по мосту эшелоном надломились опоры. В реку упали локомотив и первые шесть вагонов. Полковник с женой находились в седьмом.

Здание окружного суда в Афинах

1 мая 1862 года Иван Турчин вел наступление на город Афины в штате Алабама, чтобы перерезать важную железнодорожную ветку мятежников. Жители города оказали ожесточенное сопротивление федеральным войскам, у Турчина были серьезные потери в живой силе. Взяв Афины, разъяренный Турчин решил проучить «мятежников» южан, использовав «европейский» метод покорения местного населения. Он объявил своим солдатам: «Я закрываю глаза на два часа». За два часа федералы полностью разграбили город и местный колледж.

Полковника Турчина отстранили от командования и предали военно-полевому суду. Председательствовал на суде бригадный генерал Джеймс А. Гарфилд, будущий 20-й президент США. Полковнику инкриминировали молчаливое согласие на ряд расправ, учиненных его солдатами над местным населением и многочисленные нарушения воинского устава. На суде разбирался и такой эпизод. Весной 1862 года, когда полковник Турчин серьезно заболел, его жена в течение десяти дней руководила полком и даже водила солдат в атаку.

Приговором суда Джон Базиль Турчин был разжалован и уволен из армии. Но это вызвало волну протестов в Иллинойсе. Делегация штата во главе с его супругой Надеждой отправилась в Вашингтон и добилась аудиенции у президента. И Авраам Линкольн задним числом произвел Турчина в бригадные генералы, сведя к нулю решение суда: военно-полевой трибунал был неправомочен судить генералов.

Несколько обстоятельств повлияли на решение президента: его прежнее знакомство с русской семьей, крайняя нужда федеральной армии в кадровых боевых офицерах, да и взгляды самого Линкольна на характер войны изменились. По воле истории Иван Турчин оказался «крестным отцом» идеи тотальной войны, и генералы армии США, включая самого главнокомандующего Улисса Гранта, стали широко применять подобные методы покорения мятежного населения Юга.

Сам бригадный генерал Турчин избегал новых эксцессов. Он отличился в целом ряде сражений, командуя бригадой из четырех полков, а за свои решительные действия в Теннеси в 1863 году получил в войсках кличку «Русская гроза». Его последней компанией стал поход на Атланту летом 1864 года. В один из жарких июньских дней генерал получил солнечный удар, от которого не сумел оправиться полностью. Осенью того же года он вынужден был выйти в отставку и вернуться в Иллинойс.

По окончании войны Иван Турчин работал некоторое время железнодорожным инженером, затем в бюро патентов. Генерал в отставке выпустил две книги мемуаров о Гражданской войне. В 1873 году Турчины основали сельскохозяйственную коммуну для иммигрантов в южном Иллинойсе, в трехстах милях от Чикаго. Колонию назвали Радом, в честь польского города, где когда-то тайно венчались Иван Турчанинов и Надежда Львова.

Биография Джона Турчина, несмотря на весь ее «первопроходческий» колорит, не стала чем-либо уникальным в летописи русской эмиграции. Известна история гвардейского капитана Петра Дементьева, основателя американского Санкт-Петербурга. Судьбу Турчина во множестве деталей повторил его младший современник Владимир Гейнс. Выходец из другой национальной окраины империи, эстляндский дворянин В. К. Гейнс прошел те же, что Иван Турчанинов стадии российской военной карьеры: кадетский корпус, Михайловское артиллерийское училище и Академию генерального штаба. В 25 лет он уже носил погоны капитана императорской гвардии. И вновь, как в случае с Турчиным, Гейнс пренебрег блестящей военной карьерой и отправился в 1867 году в Новый Свет.

Биографию отставного капитана генштаба описал В. Г. Короленко в «Истории моего современника». В Америке Гейнс переменил свое имя на Вильяма Фрея. Одно время он посылал статьи об Америке в некрасовский журнал «Отечественные записки», пропагандируя идеи переселения на американский Запад, где он надеялся реализовать свои идеи «прогрессивной» аграрной коммуны. Короленко писал: «В это время эмиграция в Америку влекла многих русских, мечтавших об американской свободе и о коммунистических опытах».

В Канзасе Гейнс-Фрей основал общину в соответствии со своими принципами «библейского коммунизма». Члены «Прогрессивной коммуны» поначалу жили в «жалкой хибарке с щелями в стенах и с адским холодом внутри. Потолка не было. Вверху была только щелеватая крыша», как писал В. Короленко. Частной собственности в общине не существовало, все имущество безвозвратно сдавалось в коммуну. Все трапезы, труд и развлечения были коллективными. Фрей пропагандировал сухой закон, вегетарианство и «свободный брак». Поселенцы, мужчины и женщины, ходили в солдатских шинелях, купленных за бесценок на распродажах содержимого интендантских складов, которые остались со времен Гражданской войны.

Через несколько лет утопический сельскохозяйственный эксперимент потерпел крах и община развалилась. Многие из ее участников возвратились на родину. Один из канзасских общинников, Василий Алексеев, сблизился со Львом Толстым и был учителем его детей. Наведывался в Ясную Поляну в надежде обратить Толстого в свою веру и Вильям Фрей.

В окрестностях Радома

«Отец русской эмиграции» Иван Турчанинов остался в Америке. Опыт его аграрной коммуны оказался таким же неудачным. В Радоме Турчины жили в большой бедности, генерал в отставке зарабатывал на жизнь игрой на скрипке в окрестных питейных заведениях. Умер Иван Турчин в 1901 году в казенном приюте для душевнобольных. Надежда Львова, оставившая после себя мемуары на французском, пережила мужа на три года. Детей супруги не имели. В известном письме Турчанинова Герцену есть следующие строки: «Даже в России скорее может осуществиться что-нибудь похожее на социальную республику, только не в Америке».

Хроника XIX столетия

1865–1869 — президентство Эндрю Джонсона.

1867 — правительство Александра II продало Русскую Аляску Соединенным Штатам за 7,2 миллиона долларов.

1867 — посещение России первой организованной американской туристической группой, в составе которой был Марк Твен. Царь Александр II встретился с американцами в Ливадии.

1869 — первая трансконтинентальная железная дорога соединила восточное и западное побережья США.

1869–1877 — президентство Улисса Гранта.

1871 — русские крестьяне-староверы привезли с собой и стали культивировать в Канзасе и Северной Дакоте морозоустойчивые твердые сорта русской пшеницы.

1872 — создан Йеллоустонский национальный парк, первый в системе американских национальных парков.

САМЫЙ ЧЕЛОВЕЧНЫЙ ЧЕЛОВЕК

Штат Южная Дакота по площади равен Германии и Франции вместе взятым. «Штат койотов», «коровье царство», Дакота обычно вспоминается как место самых жестоких боев индейских племен с белыми колонистами и федеральными войсками, а также как заповедник нетронутой природы.

Университет штата Южная Дакота открылся в 1883 году в городке с поэтическим названием Вермиллион. В первые годы провинциальному учебному заведению не хватало квалифицированных преподавателей. Попечительский совет университета рассылал многочисленные приглашения через различные учебные заведения. Откликнулся один из профессоров математики из Балтимора, который сообщил, что у него есть хорошая кандидатура, но у того, к сожалению, «тяжелый русский акцент». Из Вермилиона немедленно телеграфировали: «Присылайте вашего русского вместе с его акцентом»

Все знали профессора под именем Александр Пелл. Невысокого роста худощавый шатен с манерами джентльмена никогда не рассказывал о своем русском прошлом. Он был замкнут и мало интересовался вещами, не относящимися к точным наукам. Лишь однажды профессор обмолвился, что в прошлой жизни он звался Александр Полевой. Большего из молчаливого иммигранта не удалось вытянуть ни любопытным студентам, ни словоохотливым соседям. Даже спустя несколько десятилетий после смерти известного в американских кругах математика не удавалось раскрыть подлинную историю профессора Пелла.

1 марта 1881 года в Петербурге от взрыва бомбы погиб император Александр II. Непосредственные исполнители убийства были схвачены и повешены; денно и нощно тайная полиция выявляла разветвленную сеть заговорщиков «Народной воли».

Оставшиеся на свободе террористы пытались реорганизоваться и наносили ответные удары.

16 декабря 1883 года прислуживавший в доме № 93 по Невскому проспекту Павел Суворов, пришел около девяти часов вечера в квартиру № 13, в которой проживал некто Яблонский. Отперев дверь, Суворов буквально наткнулся на лежавшее в прихожей тело человека. Другое тело, выставив в коридор ноги в хороших сапогах, находилось в ватерклозете. Повсюду виднелись следы крови. Лежавший в прихожей подавал слабые признаки жизни, и Суворов бросился за помощью в дворницкую.

Спустя несколько дней Исполнительный комитет партии «Народная воля» распространил прокламацию о казни начальника Петербургского охранного отделения полковника Судейкина и находившегося при нем полицейского агента. Телохранитель-полицейский, как оказалось, в больнице пришел в сознание и прожил три дня, успев дать ценные показания.

Поиски дворянина Яблонского дали неожиданные результаты: под этим именем скрывался отставной штабс-капитан и руководитель «Народной воли» Сергей Дегаев, состоявший одновременно на секретной службе в охранке. Несмотря на все принятые по личному царскому указанию меры, удалось поймать соучастников убийства, но оборотень Дегаев бесследно исчез.

Проживший длинную жизнь под множеством чужих имен, Сергей Петрович Дегаев родился в Москве в 1857 году. Мать его была дочерью известного литератора и историка Н. Л. Полевого и вдовой старшего врача московского кадетского корпуса. Она получила хорошее, по своему времени, образование в пансионе, знала иностранные языки. О либеральных настроениях в семье говорит известный факт, что Дегаева предлагала взять на свое попечение ребенка цареубийцы Геси Гельфман.

Сергей Петрович Дегаев в 1870-х годах служил офицером крепостной артиллерии в Кронштадте, поступил в Михайловскую артиллерийскую академию, но оттуда был вскоре удален как неблагонадежный, что означало конец военной карьеры. Выйдя в отставку, Сергей Петрович поступил в Институт инженеров путей сообщения, сблизился с нелегальными революционными кружками и был принят в «Народную волю». Писатель В. Г. Короленко лично знал Дегаева: «Маленький ростом, широкоплечий, с тонким станом, очень подвижный и нервный, он был склонен к парадоксам и легко загорался».

ОБЪЯВЛЕНІЕ.

ОТСТАВНОЙ ШТАБСЪ-КАПИТАНЪ

СЕРГѢЙ ПЕТРОВЪ ДЕГАЕВЪ

Примѣты: Маленькаго роста, худощавый, темный блондинъ

обвиняется въ убійствѣ 16-го Декабря 1883 года Подполковника Судейкина.

5,000 РУБЛЕЙ

назначено за сообщеніе полиціи свѣдѣній, которыя, давъ возможность опредѣлить мѣстонахожденіе Дегаева, повсдутъ къ его задержанію.

10,000 РУБЛЕЙ

будутъ выданы тому, кто, указавъ полиціи мѣстопребываніе Дегаева, окажетъ содѣйствіе къ задержанію преступника.

Объявление о розыске С. Дегаева

Дегаев участвовал в подготовке покушения на Александра II. Его группа рыла подкоп на Малой Садовой улице, где, как предполагалось, проедет царская карета. Он попал в поле зрения полиции, был арестован, но отпущен за отсутствием прямых улик. Через полтора года тайная полиция разгромила подпольную типографию «Народной воли» в Одессе. Среди схваченных оказался и Сергей Дегаев.

Допрашивать арестованных приехал сам начальник Петербургского охранного отделения Георгий Порфирьевич Судейкин. Царский полковник считался мастером сыска и вербовки. Вместо повальных массовых обысков и скоропалительных арестов по принципу «Хватай больше, а потом разберемся» им применялась тщательно продуманная разработка революционных организаций. Судейкин приступал к ликвидации подпольных структур лишь после того, как удавалось выявить весь террористический круг.

Дегаев «сломался» уже после нескольких бесед. Основным мотивом его согласия сотрудничать с охранкой стал арест жены Любы: схваченная одновременно с Сергеем, она от страха или растерянности рассказала полиции все, что знала. После кратковременного свидания, которое предоставил супругам Судейкин, Дегаев решил спасти жену от каторги. У него был выбор: пренебречь страданиями любимого человека во имя соратников по партии или же пожертвовать идеями ради семейного счастья.

14 января 1883 года Судейкин организовал своему новому агенту Дегаеву «дерзкий побег» при его конвоировании на допрос, что вызвало в революционных кругах бурю восторга. При этом была соблюдена вся внешняя атрибутика, сопровождавшая побеги заключенных: из Одессы в столицу было передано срочное сообщение, и за подписью директора Департамента полиции во все околотки направлена ориентировка о розыске опасного преступника.

Став осведомителем, Дегаев добился освобождения жены, но это не означало освобождения от зоркого ока Судейкина. Дегаеву необходимо было завоевать доверие шефа охранки, а уже потом пытаться обрести свободу. Он начал «сдавать» своих единомышленников. Считается, что Сергей Петрович выдал более двухсот членов подпольных ячеек.

С помощью своего агента Георгий Порфирьевич Судейкин нанес сокрушительный удар по «Народной воле», то есть по русскому терроризму. Но у полковника были далеко идущие планы. Дегаев стал фактическим диктатором «Народной воли» и владыкой подпольной России. В стране сложилась уникальная историческая ситуация, когда все революционное движение оказалось под колпаком охранки. Шеф тайной полиции намеревался держать под контролем правящие сферы террором, а террористов — охранкой. Следующим в списке приговоренных значился министр внутренних дел граф Д. А. Толстой, недоброжелатель и соперник Судейкина.

Спустя короткое время Дегаев перестал доверять своему шефу-кукловоду, подозревая, что тот рано или поздно пожертвует им ради своих интересов. Он стал просить Георгия Порфирьевича отправить его в Париж «пощупать» тамошних народовольцев. Судейкин охотно согласился, дав Дегаеву фальшивый паспорт и денег на «отдых», но недооценил коварства своего агента. Приехав в Париж, тот явился ко Льву Тихомирову, главе «Народной воли» за рубежом, и выложил все начистоту.

Видавший виды Тихомиров был потрясен: по сути Судейкин затевал государственный переворот, собираясь использовать для этих целей «прирученное» революционное движение! Исполнительный комитет «Народной воли» под председательством Тихомирова судил предателя Дегаева, но решил оставить его в живых. Условием помилования было убийство Судейкина. Для этого Дегаев отправлялся в Россию, но жена его должна выехать за границу. Ее переправят на конспиративную квартиру как гарантию от очередного предательства Дегаева. По исполнении казни супругам дозволено будет уйти на все четыре стороны, но под страхом смерти запрещено возвращаться в Россию.

Шеф петербургской охранки с радостью посодействовал выезду жены Сергея Петровича за границу: он был уверен, что Люба Дегаева едет шпионить по заданию мужа за эмигрантами. Для ликвидации Судейкина из Лондона приехал известный террорист Герман Лопатин — любимец К. Маркса, в доме которого за обеденным столом всегда находился «куверт» (столовый прибор) для Лопатина. Для готовящегося убийства Лопатин подобрал молодых украинских народовольцев Василия Конашевича и Николая Стародворского.

Дегаев заманил Судейкина на конспиративную квартиру на Невском проспекте. В плотно заселенном доме звуки выстрелов могли быть услышаны, поэтому Конашевич и Стародворский решили воспользоваться чугунными ломами (кинжалы также не годились — осторожный полковник надевал кольчугу под рубашку, отправляясь на конспиративные встречи). В пятом часу вечера 16 декабря 1883 года Судейкин позвонил в квартиру. Дверь открыл сам Дегаев, он же ее и запер, пропустив полковника с сопровождающим вперед. Коношевич прятался на кухне, а Стародворский ждал за портьерой в спальне. Полковник прошел в гостиную, там снял шубу и бросил ее на диван. Это была роковая ошибка — в кармане остался револьвер. Там же, возле дивана, осталась и трость полковника со стилетом, упрятанным в рукоять. Дегаев повел Судейкина в кабинет, а полицейский агент сел в кресло в гостиной.

У Дегаева сдали нервы. Он неожиданно выстрелил в полковника из револьвера. Раненый Судейкин бросился в гостиную за оружием, но на его пути уже возник Стародворский с чугунным ломом («полупудовым, около аршина длиной», как свидетельствовал полицейский протокол). В это же время другой жандарм получил несколько смертельных ударов по голове от Коношевича. Дегаев же, опасаясь, что его постигнет подобная участь от рук подельников, выскочил из квартиры, даже не закрыв за собой дверь.

Судебно-медицинская экспертиза показала, что раненый Судейкин в гостиной пришел в себя и бросился к двери ватерклозета, пытаясь в нем запереться. Стародворский с Коношевичем кинулись вслед за ним, выдавили дверь и добили полковника ломами.

Царское правительство впервые обратилось за помощью к населению: сначала в Петербурге, а затем и на всех перекрестках Российской империи были развешаны афиши с портретами Дегаева в гриме и без и объявленным вознаграждением в десять тысяч рублей за содействие в его поимке.

Обещание, данное провокатору Львом Тихомировым, Исполнительный комитет партии «Народная воля» выполнил. Дегаев под охраной был доставлен в Париж, а затем в присутствии Тихомирова сел с женой на пароход, отходящий из Англии в Южную Америку. Ценой двойного предательства и убийства он купил себе и жене свободу.

Южная Дакота стала сороковым американским штатом в 1889 году, но еще долго ее воспринимали лишь как часть «ко-

Университет Южной Дакоты в Вермиллионе

ровьего царства», лежащего к западу от Миссисипи и Миссури. Именно здесь укрылся от возможной мести один из «бесов» русской революции. Фанатичные эсеры-террористы и царская тайная полиция искали его по всему миру. Дегаева даже «обнаружили» спустя двадцать лет: похожий на него владелец богатой гасиенды проживал в Аргентине. Много позже Сергея Петровича, совсем уже старого, «опознали» в Сиднее. Опытный конспиратор, Дегаев сумел через жившего в Париже брата распространить слух, что он якобы уехал куда-то в Новую Зеландию, где умер в 1908 году. Официально же, как было записано в материалах следственного дела: «Обвиняемый в убийстве полковника Судейкина, отставной штабс-капитан Сергей Петров Дегаев вслед за совершением этого преступления скрылся и до сего времени не разыскан».

Первые годы в Америке Дегаев провел в Сент-Луисе, где работал грузчиком и чернорабочим, а его жена — прачкой. Натурализовавшись в США и взяв фамилию Пелл, супруги переехали в

Балтимор. Здесь Дегаев прошел полный курс математики в университете Джонса Хопкинса. В 1897 году он защитил докторскую диссертацию на тему: «О фокальных поверхностях конгруэнтных касательных к заданной поверхности». В том же году супруги Пелл отправились в Южную Дакоту.

Русский профессор в Вермилионе не просто поднял преподавание математики и астрономии до уровня хорошего университета. По его инициативе в 1907 году здесь был создан инженерный факультет, и Александр Пелл стал его первым деканом. Он был членом Американского математического общества и неоднократно публиковал свои работы в научных изданиях США.

Из обрывочных сведений о русском математике известно, что студенты его любили, а в 1904 году даже выбрали «отцом» курса. Из своих средств Пелл оплачивал университетское обучение иммигрантки Ольги Аверкиевой, которая получила американский докторский диплом. В доме профессора также проживали на положении опекаемых им стипендиатов дети неимущих дакотских фермеров. Один из студентов писал в университетской газете об Александре Пелле, как о «самом человечном человеке».

Остальным участникам убийства Судейкина выпала иная судьба. Коношевича, Стародворского и Лопатина судили и приговорили к смертной казни, замененной пожизненной каторгой. Все были заключены в Шлиссельбургскую крепость, где Василий Коношевич сошел с ума. Глеб Лопатин вышел из «безмолвной могилы» Шлиссельбурга через восемнадцать лет больным стариком. Николай Стародворский из своего каземата писал монархические послания на имя царя, вымолил помилование по амнистии 1905 года в обмен на сотрудничество с охранкой. После октября 1917 года полицейский агент вновь сменил свои убеждения. При большевиках Стародворский был комиссаром в Петрограде.

Переправивший Дегаева за океан Лев Тихомиров с годами стал глубоко верующим человеком. Он опубликовал брошюру «Почему я перестал быть революционером», обратился к Александру III с покаянным письмом и получил монаршье дозволение вернуться на родину. Тихомиров превратился в одного из самых убежденных идеологов самодержавия и создал объемистый религиозно-философский труд «Монархическая государственность». Бывший теоретик «Народной воли» редактировал черносотенную газету «Московские ведомости», где писал о «разложении» европейских демократий и «подлинности» антисемитских «Протоколов сионских мудрецов». За свое усердие был награжден царем: получил в дар золотую чернильницу.

Убитый шеф петербургской охранки оставил после себя годовалого сына. Сергей Судейкин станет одаренным художником, одним из самых известных членов объединения «Мир искусства». Эмигрировав из революционной России, Сергей Судейкин поселился в Нью-Йорке, где создавал декорации и костюмы для постановок в Метрополитен-опера.

Супруга Сергея Дегаева Любовь скончалась в Вермилионе в 1904 году. Профессор спустя три года женился на одной из своих учениц Анне Джонсон. Его вторая жена, которая стала известным математиком и первой американской женщиной-деканом, вероятнее всего ничего не знала о революционном прошлом своего мужа.

Дегаев-Пелл умер в 1921 году, когда почти не осталось в живых членов «Народной воли». В России к тому времени утвердилась ленинская диктатура, а изобретенная в американском «коровьем царстве» колючая проволока для огораживания пастбищ нашла иное применение в республике социализма. В 1952 году вдова американского профессора учредила именную стипендию Александра Пелла для одаренных студентов, выбравших математику своей стезей.

Хроника XIX столетия

1876 — Александер Белл запатентовал телефон.
1876 — Марк Твен издал «Приключения Тома Сойера».
1876 — штат Колорадо вошел в состав США.
1877–1881 — президентство Разерфорда Хейса.
1878 — физик Джозайя Уиллард Гиббс описал основные принципы термодинамики.
1878 — физик Альберт Майкельсон впервые измерил скорость света.
1879 — Томас Эдисон изобрел электрическое освещение.
1881 — президентство Джеймса Гарфильда (погиб от пули убийцы).
1881–1885 — президентство Честера Артура.
1881 — начало массовой иммиграции российских евреев в Америку.

«ИНДИАНКА»

В двух частях Большого Нью-Йорка, Бруклине и Бронксе, есть Джером-авеню. Обе названы в честь Леонарда Джерома (*Jerome*), весьма примечательной фигуры в истории города. Первые Джеромы были в числе французских гугенотов, спасавшихся в Новом Свете от религиозных гонений. Дед Леонарда, Аарон, отличился в сражениях Войны за независимость и был женат на двоюродной сестре Джорджа Вашингтона. На этом родство с президентами не заканчивается. Кузеном Леонарда был его однокашник по колледжу Джеймс Рузвельт, отец Франклина Делано Рузвельта.

В разные периоды своей жизни Леонард Джером был адвокатом, редактором газеты, дипломатом, совладельцем «Нью-Йорк Таймс». Впоследствии он оказался одним из самых удачливых биржевых дельцов на Уолл-стрит. В отличие от множества нуворишей американского «позолоченного века», Джером славился не только умением зарабатывать и транжирить деньги, но и заботами по благоустройству города. За это и был увековечен на нью-йоркской карте.

Из четырех дочерей Леонарда его любимицей была Дженетт. Дженни, как все звали девочку, родилась 9 января 1854 года в Бруклине. Через несколько лет разбогатевший Леонард перевез семейство в роскошный особняк на Мэдисон-сквер в Манхеттен. Дженни отличалась живым нравом, смуглостью и необычной красотой. Впоследствии Дженни, любившая шокировать поклонников, рассказывала семейное предание, будто ее прабабку изнасиловал индеец-ирокез.

Основатель Американской академии музыки и нью-йоркского ипподрома, делец и кутила Леонард Джером увидел в девочке собственные недюжинные способности. Он всегда гордился ее умом, «джеромовской» целеустремленностью и отменным художественным вкусом. Спустя сорок лет, на смертном одре Леонард шепнет дочери: «Я передал тебе все. Пожалуйста, передай это дальше.»

Летом 1873 года девятнадцатилетняя Дженни Джером встретилась на модном английском курорте с лордом Рэндольфом, блестящим молодым человеком, отпрыском одного из лучших британских семейств. Лордом он стал в восьмилетнем возрасте — с того времени, как отец Рэндольфа унаследовал герцогский титул. Роман оказался скоропалительным и ни у кого не было сомнений, что грядет брак по любви. Но жених с большим трудом добивался родительского благословения. В письме Рэндольфу герцог-отец писал: «По слухам, мистер Джером занимается только бегами и яхтами, и человек довольно вульгарный. Как мне рассказали, он раскатывает по Нью-Йорку, правя шестеркой или восьмеркой лошадей».

В те дни аристократические дома Англии закрывали свои двери перед «американской наглостью и американскими долларами». Газеты выражались еще проще: «Титулы из британской книги пэров выставлены на продажу. Добрая старая Англия теряет свои традиции в объятиях амазонок». По словам Дженни, на заокеанских невест «смотрели как на дикарок, привычки и манеры которых представляли нечто среднее между поведением краснокожих индейцев и девиц легкого поведения». Особенно высмеивались неприличные для леди американские манеры. В одном доме отметили: «За ленчем мадам так увлеклась рассказом о своем босоногом детстве, что воспользовалась неправильной вилкой». Лучшим комплиментом для представительницы Нового Света считалась бестактная фраза: «Никогда бы не подумала, что вы американка».

Грядущий брак не вызывал энтузиазма и по другую сторону Атлантики. Леонард Джером, соперничавший в богатстве с самим Вандербильтом, сомневался, будет ли «хилый английский лорд с высохшего генеалогического древа» достойной парой его черноглазой красавице дочке. Переговоры через океан затянулись почти на год, и в результате Дженни, по слухам, пошла под венец беременной. Лучшим портнихам удалось скрыть скандал, впоследствии пришлось объявить в лондонской «Таймс», что наследник родился «раньше положенного срока».

Первые месяцы молодые жили в родовом замке в графстве Оксфордшир. Поместье именовалось Бленхэйм, в честь битвы,

Дженни Джером

блистательно выигранной у французов предком лорда Рэндольфа, о котором когда-то сложили популярную песенку «Мальбрук в поход собрался». Восемь следующих наследников Бленхэйма вели неумеренный образ жизни и порядком растрясли семейное богатство (лучшие картины из проданной семейной коллекции достались Эрмитажу). Тем не менее мать Рэндольфа, урожденная леди Френсис Вэйн, старшая дочь третьего маркиза Лондондерри, строго блюла традиции Альбиона. Неробкая Дженни, поначалу вздрагивала, боясь перепутать имена, титулы и генеалогию двухсот правящих семейств Великобритании.

Новоиспеченная леди Рэндольф впоследствии вспоминала свекровь: «Она железной рукой правила Бленхэймом и всеми его обитателями. Шорох ее шелковых юбок заставлял трепетать слуг». Дженни, самой выросшей в богатстве, среди служанок и гувернанток, оказалось невероятно трудно строго соблюдать все правила, касающиеся многочисленных слуг в золоченых ливреях. Когда гостье потребовалось разжечь камин, она позвала дворецкого, нарушив вековую иерархию. Шокированный дворецкий с холодной вежливостью сообщил, что вызовет соответствующего слугу.

Прилежная Дженни изучала английскую историю и спустя короткое время могла вести беседу о британской политике, выказывая редкостное знание предмета. Более того — вскоре выяснилось, что лидером в этом браке будет честолюбивая леди Рэндольф. Их лондонский дом со временем стал одним из лучших салонов Британии, а сам Рэндольф, прежде интересовавшийся только охотой и лошадьми, открыл в себе способности политика. В столичном обществе нередко высказывалось мнение, что Дженни не только проводит за мужа избирательные кампании, но и пишет за него речи. Как подтвердилось позднее, Дженни действительно обладала большими литературными и издательскими способностями.

Биограф Дженетт Джером Ральф Мартин писал: «Успех в обществе во многом зависел от умения «перешучиваться», и Дженни владела этим искусством в совершенстве. Она мастерски умела пресечь поток настойчивой мужской лести, обладала даром кокетливого острословия, могла ответить изящным бойким куплетом или колкой остротой или добродушной шуткой, что делало ее популярной не только среди мужчин, но и среди женщин».

Обстоятельства рождения первенца Дженни оказались вполне под стать ее характеру: вопреки советам родных леди Рэндольф решила принять участие в бале, который давали в Бленхэйме 30 ноября 1874 года. В середине вечера Дженни неожиданно почувствовала себя плохо, и ее еле успели доставить в одну из ближайших комнат, которая по случаю бала была превращена в дамскую раздевалку. В этой необычной обстановке среди горжеток и боа из перьев появился отпрыск «лучшей из британских пород» и янки из Бруклина.

Младенец был хотя и скороспелый, но весьма энергичный. Он так неистово кричал, нарушая чопорную благопристойность дворца, что бабушка-герцогиня заметила: «Я сама произвела на свет немало детей, и все они имели прекрасные голосовые данные. Но такого ужасающего крика, я еще никогда не слышала». Мальчику дали двойное имя Уинстон-Леонард, в честь его дедушек, английского и американского.

Став частью британской элиты, впитав в себя ее многие нравы и привычки, «индианка» Дженни сохранила свой нью-йоркский говор и гордо размахивала звездно-полосатым флажком всякий раз, когда на дерби первой приходила американская лошадь. Леди Рэндольф возглавляла англо-американское общество Великобритании и стала центром американской светской жизни в Лондоне, играя в ней гораздо более значительную роль, чем сменяющие друг друга американские послы.

Теплота и сердечность обворожительной смуглянки леди Рэндольф оттеняли холодную резкость ее мужа. Он стал членом парламента от консервативной партии и всего через несколько лет — лидером британских тори. Дженни создала и возглавила «Лигу подснежника» — первый в Англии женский политический клуб.

Рэндольф мог полагаться на изворотливость ума Дженни и интуитивную проницательность ее суждений о людях. Одним из светских изобретений леди Рэндольф, которое потом часто копировалось, было проведение обедов «для смертельных врагов». Сама Дженни, которая умела ответить весьма едко, на таких обедах придерживала свой язык и была самим очарованием. Все знали, что она увлекается живописью, и когда на одном вечере три политических противника ее мужа загнали ее в угол, умоляя написать их портреты, Дженни, улыбаясь, отвечала, что боится не справиться с этой задачей, так как у нее не хватит черной краски.

В ноябре 1885 лорд Рэндольф получил письмо из Виндзорского замка с уведомлением, что королева желает лично вручить леди Рэндольф знак ордена «Корона Индии». Далее шли советы по протоколу: «Шляпка, утреннее платье, серые перчатки. По получении ордена поцеловать руку королевы, как это делают джентльмены». Для любой женщины того времени аудиенция у королевы была самым ярким событием в ее жизни. Поклониться королеве, поцеловать ее руку многими почиталось по важности равным замужеству. Проявить при этом неуклюжесть становилось несмываемым позором. Орденский знак включал императорскую монограмму королевы Виктории, выполненную из бриллиантов, жемчуга и бирюзы, им награждались наиболее выдающиеся женщины империи.

В юношеском романе «Саврола» Уинстон выведет образ матери: «Она вела очень занятую жизнь. Приемы, балы, вечера заполняли время зимнего сезона тяжкой работой безостановочных развлечений. Иностранные вельможи ценили ее не только как самую обворожительную женщину Европы, но и как влиятельную политическую фигуру. В ее салоне толпились знаменитейшие люди всех стран. Государственные деятели и военачальники, поэты и ученые преклоняли колена в этом храме. Она принимала участие в государственных делах. Учтивые, изысканно льстивые послы делали тонкие намеки, и она передавала неофициальные ответы для них. Полномочные представители детально объясняли ей тонкости договоров и протоколов. Различные филантропы спорили, убеждали, растолковывали свои взгляды и цели. Даже горничная обращалась к ней с просьбой помочь служебному продвижению ее брата-почтальона».

Высокородный Рэндольф, помимо традиционного английского сдержанного отношения к сыну, еще абсолютно не верил в его способности. Он считал сына неказистым и неумным. Уинстон давал для этого основания. Он был последним в классе по успеваемости. Лентяй не желал учиться математике и латыни, таскал из школьного буфета изюм, и директор школы порол его каждую субботу.

Сам лорд Рэндольф к этому времени был главой палаты общин, а затем — канцлером казначейства. Однако вскоре из-за разногласий с членами кабинета министров Рэндольф со скандалом покинул пост. Но даже после отставки и последовавшего заката политической карьеры отец по-прежнему был недоступен для общения с сыном, уделяя больше внимания скачкам и путешествиям. В письме к матери Рэндольф утверждал, что Уинстону не хватает «ума, знаний и усидчивости в работе» при большом таланте к «хвастовству, преувеличению и пусканию пыли в глаза». Далее следовал убийственный приговор: «Все его оценки доказывают его полную никчемность к тому, чтобы стать знающим и трудолюбивым работником».

Вышло во многом наоборот. К своим 37 годам высоколобый лорд Рэндольф оказался блестящим политическим неудачником, полностью оправдавшим семейный девиз: «*Fiel pero desdichado*» («Верный, но несчастливый»). Через восемь лет после отставки, в январе 1895 года, он умер, страдая от психического расстройства.

Уинстон-Леонард так и не получил университетского образования. По окончании школы он только с третьей попытки поступил в военное училище Сэндхерст (его результат на вступительных экзаменах был девяносто вторым из ста двух возможных). Из Сэндхерста он вышел двадцати лет от роду младшим лейтенантом кавалерии.

«Я всем обязан матери и ничем отцу», — много раз повторял Уинстон. Во время службы в отдаленном гарнизоне в Индии он, по настоянию Дженни, прочел восьмитомную «Историю упадка

Особняк Джеромов в Нью-Йорке

и гибели Римской империи» Гиббона, затем — двенадцать томов Маколея. В дальнейшем Дженни отправляла сыну Аристотеля и Паскаля, Дарвина и Адама Смита. А еще — двадцать семь томов хроники заседаний британского парламента, которые Уинстон начал серьезно прорабатывать.

Спустя пять лет после смерти лорда Рэндольфа «индейская красавица», невзирая на пересуды света, снова вышла замуж — за лейтенанта шотландской гвардии, родившегося в год ее первой свадьбы (отчим оказался старше Уинстона всего на две недели). В светской хронике появились насмешливые сообщения о том, что молодоженов видели в театре на спектакле «Рецепт ее молодости». Вступив во второй брак, леди Рэндольф потеряла все привилегии, которые имела как вдова младшего сына герцога, а также право быть принятой королевой, которое было даровано ей как вдове министра.

Через много лет, уже будучи бабушкой, но не растерявшая красоту, Дженни выйдет замуж в третий раз: ей будет шестьдесят три, ее новый муж, породистый колониальный чиновник, окажется на три года моложе Уинстона. «Мой второй брак был романтичный, но несчастливый, — напишет позднее Дженни. — Мой третий брак оказался счастливым, но не романтичным».

Менее всего она походила на светскую даму викторианской эпохи. Среди многочисленных начинаний Дженни был выпуск журнала «Англосаксонское обозрение» — это в то время, когда издателями были исключительно мужчины, а женщины из высшего общества даже не выходили на улицу без сопровождающего. Известие о том, что дама издает международный литературный журнал, принимает важные решения относительно его содержания и финансирования, должно было заставить морщиться почтенных завсегдатаев британских клубов. Но Дженни привлекла в «Обозрение» лучшие таланты с обоих берегов Атлантики: Генри Джеймса, Стивена Крейна, Бернарда Шоу, Р. Киплинга. Она также издала сборник своих эссе «Немного слов о важных вещах» и писала популярные пьесы, фразы из которых стали в то время ходячими: «Что такое любовь без страсти? Сад без цветов, шляпа без перьев, катание в санях без снега».

Весной 1921 года шестидесятисемилетняя Дженни вновь кружилась в танце на одном из светских раутов. В тот майский вечер, спускаясь по мраморной лестнице, она оступилась и сломала голеностоп. Несмотря на предпринятое лечение, развилась гангрена голени. Когда врач сказал Дженни, что ей необходимо ампутировать стопу и часть голени, та хладнокровно попросила доктора отрезать ногу выше колена, чтобы избежать риска повторной операции.

У Джеромов всегда было достаточно жизнелюбия и мужества. Когда друзья пришли навестить больную после операции, та приветствовала их шуткой: «Видите, теперь я уже не смогу встать не с той ноги!». Через две недели Дженни скончалась от открывшегося обильного кровотечения.

Сын Дженетт Джером участвовал в пяти военных кампаниях в разных частях света, сражался на бронепоезде, с риском для жизни бежал из африканского плена. Еще при жизни матери Уинстон будет занимать посты министра финансов, министра внутренних дел, министра торговли и сядет в кресло первого лорда адмиралтейства.

Дженни передала сыну лучшие из своих качеств. Уинстон станет довольно известным художником — выставки Шарля Морена, под именем которого прятался министр и парламентарий, проходили с большим успехом. Он напишет около сорока книг и через сорок с лишним лет получит Нобелевскую премию по литературе. Сын Дженни Джером запомнился нам как благодушного вида толстяк с неизменной сигарой, но то была кульминация блистательной карьеры сэра Уинстона Черчилля, самого известного британского политика двадцатого столетия.

Ральф Мартин писал: «Одного только влияния Дженни на своего сына Уинстона Черчилля достаточно, чтобы она заслужила достойное место в новейшей истории. Однако ее жизнь включила гораздо больше. Больше, чем трое мужей и любовь многих других мужчин. Больше, чем политика и собственный журнал, чем книги и пьесы… Дженни олицетворяла всю страсть своего мира, и ни одна ее современница не сыграла такой важной роли в истории той эпохи. При этом она сама определяла поле деятельности и правила игры. Ее отвага равнялась ее красоте, любовь к жизни — уму, а энергия — силе воображения».

Среди многочисленных историй, всегда сопровождавших Дженни Джером, есть и такая. Правительственный чиновник явился к Черчиллям, чтобы, согласно протоколу, забрать министерскую мантию ушедшего в отставку лорда Рэндольфа. Привыкший сохранять ледяную мину, клерк удивленно поднял брови, услышав от Дженни: «Я оставляю ее для сына». В то время Уинстону Черчиллю было шесть лет.

Хроника XIX столетия

1885–1889 — президентство Гровера Кливленда.

1886 — торжественное открытие статуи Свободы.

1888 — инженер Г. Холлерит изобрел первую электромеханическую счетную машину.

1889–1890 — в состав США приняты шесть штатов: Северная Дакота, Южная Дакота, Монтана, Вашингтон, Айдахо, Вайоминг.

1889–1893 — президентство Бенджамина Харрисона.

1893 — Генри Форд построил свой первый автомобиль.

1893–1897 — повторное президентство Гровера Кливленда.

1896 — в состав Союза вошел штат Юта.

1897–1901 — президентство Уильяма Маккинли (погиб от пули убийцы).

1898 — Испано-американская война.

ПОВЕСЬТЕ ЕВРЕЯ!

Мудрость, Справедливость, Умеренность.

Девиз штата Джорджия

Городок с красивым названием Мариэтта расположен в одном из живописнейших мест северной Джорджии, у подножия Голубого хребта Аппалачей. Десятки тысяч туристов посещают эти места в период весеннего цветения. В начале XX столетия события, происходившие в «персиковом штате» оказались в центре внимания всей Америки.

В апреле 1913 года столицу Джорджии Атланту потрясло зверское убийство. В подвале карандашной фабрики был обнаружен труп 14-летней девочки Мэри Фэган. Уроженка Мариэтты, работавшая на фабрике, была избита, изнасилована и задушена петлей. Преступление такого рода способно ужаснуть любое общество. Однако в данном случае большую роль сыграла и специфика южных штатов. Не было страшнее преступления на американском Юге, чем насилие над белой женщиной. Пресса раздувала общественную истерию, толкая полицию на любые действия по поимке убийцы. Мэр Атланты публично приказал шефу городской полиции: «Найдите преступника — или будете уволены».

Первоначальный подозреваемый, ночной сторож Ньют Ли, который обнаружил тело девочки, был брошен в камеру, избит и многократно допрошен. Были арестованы еще несколько человек. Однако прямых улик у полиции не было. Дело принимало серьезный оборот. Пресса уже давно писала о неспособности полиции Атланты к эффективной работе, о коррупции в ее рядах. В условиях сухого закона в городе действовало множество подпольных салонов, торговавших спиртным, публичных домов и притонов. Полицейской верхушке Атланты было крайне необходимо продемонстрировать общественности пойманного

Лео Франк

преступника. Подходящей фигурой для полицейских следователей оказался 29-летний управляющий карандашной фабрики Лео Франк, который последним видел Мэри Фэган в тот роковой день (она получила у него зарплату).

Лео Макс Франк родился в семье еврейских иммигрантов из Германии. Он провел свое детство в Бруклине, затем учился в Корнельском университете, где получил диплом инженера. Некоторое время он работал в Массачусетсе, впоследствии получил место управляющего на карандашной фабрике в Атланте. В 1911 году он женился на Люсиль Селиг, происходившей из зажиточной еврейской семьи. Несмотря на отсутствие каких-либо прямых улик против Франка, он представлялся наиболее подходящей фигурой для громкого процесса.

Штат Джорджия в те годы являл собой запутанный узел экономических, политических и расовых проблем. Всего несколько десятилетий прошло после окончания Гражданской войны в США, оставившей в руинах экономику Юга. Одно из прозвищ Джорджии «Штат белой бедноты» весьма точно характеризовало трагедию американского Юга. Разорявшееся фермерство, терявшее права на свои заложенные земли, и безземельные фермеры-арендаторы попадали во все большую зависимость от банковского и торгового капитала.

Дух капитализма, идущий с Севера, принес с собой многочисленные социальные издержки и для многих горожан: мелких ремесленников, мастеровых, торговцев. Не случайно именно в Джорджии впоследствии появилась книга «Унесенные ветром», и именно в этом штате зародился Ку-Клукс-Клан.

Для многих англосаксов, особенно протестантских фундаменталистов, Лео Франк был типичным объектом для подозрений. Сельскохозяйственная Джорджия по-прежнему неприязненно относилась к пришельцам, разрушавшим патриархальный уклад «старого доброго Юга». Бизнесмен из Нью-Йорка, еврей Лео Франк стал символом ненавистного капиталистического духа Уолл-Стрита, который «держит Юг в нищете». Недоброжелательность и предрассудки быстро переросли в антисемитскую истерию. Бедная девушка из фермерской семьи, погибшая от рук пришельца-янки и «еврейского эксплуататора», превратилась в символ «униженного Юга».

Еврейская община Джорджии оказалась застигнутой врасплох событиями в Атланте. Тем не менее, был образован фонд в защиту Лео Франка. Реакция уличной черни был однозначной: евреи хотят купить свободу Франку. Газеты Атланты сообщают о слухах, что еврейство подкупило жюри присяжных еще до начала суда.

В такой обстановке 28 июля 1913 года начался процесс Лео Франка. В зал суда ввели худого близорукого молодого человека с характерной еврейской внешностью, которому газеты уже заранее приклеили ярлык «похотливый монстр». Главным обвинителем по делу Франка стал прокурор Атланты Хью Дорси. Этот процесс был решающим и в судьбе амбициозного прокурора. Незадолго до этого он проиграл два судебных иска, и новое поражение окончательно бы подорвало его репутацию. С другой стороны, Дорси понимал: выигрыш в этом громком деле открывал перед ним возможности блистательной политической карьеры.

Вряд ли в штате Джорджия можно было найти объективное жюри присяжных и избежать давления на свидетелей. Многотысячная толпа, окружавшая здание суда на всем протяжении процесса, скандировала: «Повесьте еврея, или мы повесим вас!». Угрозы были более чем реальны. Джорджия выделялась даже среди южных штатов числом линчеваний и случаями дикого насилия необузданной толпы.

С первых же дней судебного процесса стало очевидно, что дело шито белыми нитками. Главным свидетелем убийства, выдвинутым обвинением, стал чернокожий подсобный рабочий карандашной фабрики Джим Конли. Малограмотный алкоголик, который за последний год шесть раз арестовывался полицией, путался в показаниях, изворачивался и лгал. Более того, уже по ходу процесса выявлялись улики, говорящие, что именно Конли является вероятным убийцей. Однако для злобной толпы на улице хитросплетения судопроизводства и противоречивые юридические свидетельства были малопонятны. «Монстр» был пойман и требовалось лишь его покарать.

NIGHT EXTRA

THE ATLANTA GEORGIAN

EXTRA No. 6

POLICE HAVE THE STRANGLER

AUSTRIA WILL MOVE ALONE ON MONTENEGRO

DETAILS OF BIG PONY CONTEST ANNOUNCED

VOLS SCORE IN FIRST; BRADY OPPOSES BECK

Late this afternoon, Chief of Detectives Lanford made this important statement to a Georgian reporter: "We have the strangler. In my opinion the crime lies between two men, the negro watchman, Newt Lee and Frank. We have eliminated John Gantt and Arthur Mullinax."

FRANK AND NEGRO ARE GIVEN "THIRD DEGREE"

Attorney Barred, Then Admitted

Frank To Be Kept Under Guard

RACES

Your Name There?

Газетное сообщение об аресте Л. Франка

В те времена белые присяжные на Юге никогда бы не поверили путаным показаниям малограмотного чернокожего алкоголика. Однако он обвинял в убийстве не белого южанина, а чужака, пришельца-янки. В глазах ослепленной предрассудками черни процесс Франка становился как бы символическим реваншем для «униженного Юга», ибо на скамье подсудимых сидел «богатый еврей с Севера». Растущая антисемитская истерия в Джорджии несомненно определила ход процесса, настроения присяжных и решение судьи.

Об обстановке в зале суда можно судить по следующему эпизоду. Прокурор Хью Дорси с помощью подставных свидетелей пытался доказать, что Франк был половым извращенцем, что само по себе каралось смертью в Джорджии. Защита в ответ представила имена многих людей, знавших Лео Франка. Однако каждая из называемых еврейских фамилий вызывала дружный хохот в зале. Просьбы защиты о наведении порядка в зале суда и на улице успеха не имели. Плебс приговорил Франка еще до начала процесса.

Есть определенная символика в исторических совпадениях. В год, когда родился Лео Франк, французский капитан Дрейфус был арестован по ложному обвинению и Европу в очередной раз захлестнула мутная волна антисемитизма. В год суда над Франком в Киеве проходил процесс Бейлиса, обвиняемого в убийстве христианского ребенка. В «нецивилизованной» России жюри присяжных, состоявшее из малограмотных крестьян, оправдало Бейлиса; в свободной Америке жюри из 12 белых мужчин, принадлежавших к среднему классу, вынесло обвинительный вердикт.

Председательствующий на процессе судья Леонард Роун приговорил Франка к смертной казни через повешение. Многотысячная толпа на улице встретила вердикт с невиданной радостью. Казалось, весь город вышел на улицы. Перестал ходить общественный транспорт. Прокурора Хью Дорси толпа несла на руках от здания суда до его офиса.

Адвокаты Франка начали длительную борьбу за пересмотр дела. Кассация содержала перечисление 103 процессуальных ошибок, которые были выделены в 17 категорий. За два года было подано 13 апелляций в высшие судебные инстанции Джорджии и Соединенных Штатов. Адвокаты вскрывали все новые свидетельства манипуляций с показаниями свидетелей в полиции и на допросах следователей. На многих свидетелей оказывалось давление, им угрожали тюрьмой и физической расправой. Среди многочисленных доказательств судебной ошибки было представлено и письменное свидетельство бывшей сожительницы Джима Конли о том, что он признался ей в убийстве Мэри Фэган. Однако каждый раз апелляции защиты отвергались вышестоящим судом — вплоть до Верховного Суда США, где голоса судей разделились.

Антисемитская компания в Джорджии в эти годы достигла своей кульминации. Отправить на виселицу «еврейского извращенца и убийцу» было делом чести не только Джорджии, но и всего Юга. Сельская беднота и фабричные рабочие, протестантские фундаменталисты и местные политиканы должны были в этот период обрести своего вождя. Им стал Томас Уотсон, известный публицист, историк и издатель. Он был основателем Популистской партии США, от которой дважды выдвигался кандидатом в президенты страны. Снискавший себе известность злобными кампаниями против негров и католиков, Уотсон нашел новую для себя возможность в мире политики.

Газета «Джефферсонец», издававшаяся Томом Уотсоном в Джорджии, из номера в номер требовала казни «грязного еврейского выродка из Нью-Йорка». В считанные месяцы Уотсон стал не только кумиром толпы, но и «защитником интересов всех простых людей Джорджии». Его грубоватый «народный» стиль был понятен как для городского обывателя, так и для сельского люда глубинки. Публицистика Уотсона затронула самые чувствительные струны Юга: разоряющиеся фермеры вынуждены посылать своих жен и дочерей на фабрики в город, где они становятся объектом сексуальных домогательств богачей.

Простонародье Юга свято верило: еврейские деньги и связи брошены на спасение эксплуататора и богача-убийцы. Любые попытки выявить истину вызывали лишь новую волну озлобления. Так нанятый адвокатами Франка для независимого расследования частный детектив Джо Бернс едва избежал линчевания в Мариэтте.

Газета «Джефферсонец» писала: «Франк принадлежит к еврейской аристократии, и богатые евреи считают, что аристократ их расы не должен пострадать из-за гибели простого нееврея». Среди типичных публицистических клише Уотсона — «грязь Израиля», «проклятая раса» и т.д. Том Уотсон был идейным вдохновителем «Рыцарей Мэри Фэган», антисемитского общества, которое начало компанию бойкота еврейских магазинов в Джорджии.

Десятилетие, предшествовавшее Первой мировой войне, характеризовалось ростом антисемитских настроений не только на Юге США. К примеру, в 1906 году полторы тысячи рабочих на обувной фабрике в Массачусетсе угрожали забастовкой, если администрация не уволит девятерых работников-евреев. Одной из основных тем националистической прессы стало «великое еврейское нашествие», подогреваемое ростом еврейской эмиграции из России. Даже многие из «умеренных» граждан страны считали, что евреев «пора поставить на место».

31 мая 1915 года началось последнее слушание Лео Франка. Судьбу замены смертной казни пожизненным заключением решал Тюремный комиссариат Джорджии. Новости из зала заседаний в Атланте вытеснили с первых полос газет даже сообщения о ходе Первой мировой войны. Одной из сенсаций стало письмо судьи Леонарда Роуна, который скончался за два месяца до начала слушания. Судья Роун, утвердивший ранее смертный приго-

вор, переслал перед своей кончиной письмо адвокатам Франка, разрешив зачитать его на слушании. «Мысль, что казнь любого, чья вина не полностью доказана, является слишком для меня ужасной», — написал 67-летний судья. Тем не менее Тюремный комиссариат оставил смертный приговор в силе.

Экзекуция была назначена на 22 июня 1915 года. Джорджия замерла в ожидании. За сутки до исполнения приговора губернатор штата Джон Слейтон заменил казнь Франка пожизненным заключением. Губернатор публично обосновал свое решение недостаточностью улик в деле. Слейтон лично ездил на место преступления, детально изучил подробности дела Франка. Этот мужественный шаг Джона Слейтона в разъяренной Джорджии стал концом его политической карьеры. Он покинул свой пост спустя неделю. Вокруг губернаторского дома бесновалась толпа, вооруженная револьверами и охотничьими ружьями, требовавшая выдачи им «пособника евреев». Для поддержания порядка была вызвана национальная гвардия. Войска патрулировали еврейский район Атланты. Еврейские семьи пытались покинуть город, прятали детей у знакомых американцев. Зловещую картину усиливали ночные факельные шествия к дому губернатора. Джон Слейтон с семьей тайно, под охраной, покинул свой родной штат, чтобы провести несколько лет в изгнании.

И все же Лео Франк, исхудавший в камере смертников на двадцать пять килограммов, не прошел все круги ада. Спустя четыре недели после его перевода в тюрьму Милледжвилл, дважды осужденный за убийство У. Крин, украв на кухне нож, пытался ночью перерезать горло Франку. Поднятая шумом охрана сумела схватить преступника. Рана через все горло затронула яремную вену, вызвав обильное кровотечение. Один из заключенных, бывший врач, сумел оказать Франку экстренную помощь. Несколько недель он был между жизнью и смертью. Газета Уотсона надрывалась: «Этот нож мясника ранее использовался для разделки свиней. Кошер!».

Все эти годы борьбы за свою жизнь и доброе имя Лео Макс Франк сохранял достоинство, мужественно перенося все испытания, выпавшие на его долю. Джорджия напряженно следила за выздоровлением молодого человека, ожидая нового развития событий. В ночь на 17 августа 1915 года толпа вооруженных «Рыцарей Мэри Фэган» на автомобилях прибыла в Милледжвилл. Они ворвались на территорию тюрьмы, обезоружив охрану и пе-

перерезав телефонные провода. «Рыцари» захватили Лео Франка в постели и увели с собой.

Его везли 150 миль на север, в Мариэтту, родной город Мэри Фэган. Здесь в дубовой роще на рассвете состоялась его казнь. Перед повешением один из линчевателей предложил Франку признать свою вину. Молодой человек ответил, что он невиновен и попросил переслать жене его обручальное кольцо. На голову Франка накинули платок и затянули петлю. В этот момент на его горле вновь открылась незажившая рана.

Весть о линчевании молниеносно разнеслась по округе. Утром толпа зевак на месте казни превысила тысячу человек. Преобладало настроение праздничного пикника, многие приезжали с женами и детьми, делались групповые фотографии на фоне висящего тела. Некоторые отрезали куски от ночной рубашки Франка на память. Прибывшая полиция с трудом отбила частично оскверненное тело.

В Мариэтте, как и в любом маленьком городке, все жители были знакомы и знали все новости. Однако полицейское расследование не смогло установить имен линчевателей. В день казни Лео Франка тысячи людей погибли на фронтах Первой мировой войны, немецкие дирижабли бомбили Лондон, более ста человек было убито смерчем в Техасе. Однако все крупные газеты Америки поместили на первых полосах сообщения из Мариэтты, штат Джорджия. Таким вошел этот день в американскую историю.

Родители Франка перевезли тело в Нью-Йорк. После скромных похорон его мать сказала журналистам: «Хорошо, что для него все уже закончилось».

Жена погибшего, Люсиль Франк, пережила супруга на сорок лет. Она вела тихую уединенную жизнь, работая в магазине одежды, и больше никогда не вышла замуж. До самой смерти в 1957 году она подписывала чеки «Супруги Франк». Они прожили вместе всего три года и не имели детей.

Экс-губернатор Джорджии Джон Слейтон, помиловавший Франка, больше никогда не смог вернуться к политической деятельности. В течение сорока лет он преподавал в воскресной школе.

Сыгравший роковую роль в судьбе Лео Франка чернокожий Джим Конли был схвачен, когда пытался ограбить аптеку в Атланте в 1919 году. Суд приговорил его к четырнадцати годам

В центре Мариетты

тюрьмы, однако наказание уменьшили всего до одного года, учитывая его сотрудничество со следствием в деле Франка. Впоследствии он еще неоднократно подвергался арестам в Атланте. Конли пережил всех участников той драмы и умер в 1962 году.

Главный обвинитель по делу Франка прокурор Хью Дорси вскоре после суда триумфально выиграл губернаторские выборы в Джорджии. Идол консервативной Америки Том Уотсон был избран в Сенат США, где активно выступал против вступления Соединенных Штатов в Первую мировую войну и против участия страны в Лиге наций. В Атланте у Капитолия штата ему поставлен памятник.

Останки Лео Франка покоятся на еврейском кладбище Маунт-Кармел в Бруклине. Город Мариэтта по-прежнему посещается туристами, любителями удивительных пейзажей «персикового штата». «День памяти Мэри Фэган» периодически собирает здесь белых расистов. О гибели Мэри Фэган и наказании ее «убийцы» в Джорджии была сложена баллада, которая до сих пор исполняется на фольклорных фестивалях в сельских районах американского Юга.

Хроника XX столетия

1900 — закон о едином золотом стандарте в США.

1901–1909 — президентство Теодора Рузвельта.

1901 — Изобретатель Г. Маркони послал первое радиосообщение через Атлантику.

1901 — в нью-йоркской гавани на острове Эллис Айленд сооружен самый большой в мире пункт приема иммигрантов.

1903 — первый полет аэроплана братьев Райт.

1906 — в США создана федеральная иммиграционная служба.

1906 — Библиотека Конгресса США приобрела «Юдинскую коллекцию» — частную библиотеку редких изданий, собранную красноярским купцом Г. Юдиным, что положило начало русскому фонду библиотеки.

1907 — Оклахома вошла в состав США.

ПОЩЕЧИНЫ ГУВЕРУ

Клеймо самого непопулярного американского президента двадцатого столетия досталось Герберту К. Гуверу. Его не жалуют соотечественники-историки и незаслуженно забыли в России, хотя именно деятельность Гувера привела к тому, что жители Российской Федерации впервые в масштабном порядке познакомились с людьми из Америки.

Герберт Кларк Гувер (*Herbert Hoover,* 1874–1964), был первым из президентов США, родившимся к западу от реки Миссисипи. Айова в то время являла собой такую глушь, что не каждый из жителей Соединенных Штатов представлял себе ее местоположение. Первыми детскими впечатлениями сына кузнеца Джейкоба Гувера стала непролазная грязь на улице, в которой малыш Герберт часто застревал. В девять лет он стал круглым сиротой и воспитывался у своего дяди.

В 1891 году семнадцатилетний Герберт отправился в Калифорнию в надежде поступить в только что открытый Стэнфордский университет. Он выдержал экзамены по латыни и математике, в остальных же предметах провалился. Тем не менее, оба профессора наук, в которых юноша продемонстрировал сообразительность, вступились за него. Поначалу Герберт был зачислен в университет условно, но вскоре стал одним из лучших студентов на факультете геологии. По окончании Стэнфорда он работал горным инженером в Австралии, Азии и Африке, к 1914 году имел опыт успешного руководства двумя десятками горных и других промышленных предприятий. Во время Первой мировой войны Гувер был назначен главой продовольственного управления США.

О российской беде, получившей условное название «голод в Поволжье», сегодня вспоминают редко. Мол, случились в 1920-е годы засуха и неурожай, но советское правительство, в конце концов, наладило помощь голодающим. В историю также оказались замешаны некие иностранцы, игравшие в коварные игры: шпионаж, интриги против России, спекуляции и прочее.

Страна была обескровлена после революции, гражданской войны и политики «военного коммунизма». Особенно жестокой была ленинская идея продразверстки. У крестьян безжалостно изымался весь хлеб до последнего зернышка, забирали семьи в заложники, недовольных расстреливали. Органы ВЧК, «боевого отряда партии», слали отчеты в столицу о контрреволюционных настроениях по всей России. Так, в одной из сводок ВЧК по Казанской губернии за 26 октября 1920 года говорилось: «Крестьяне относятся к Советской власти недружелюбно по причинам разных повинностей и разверстки… В последнем случае умиротворяюще действуют посылаемые в такие места вооруженные отряды».

Результат не заставил себя ждать. С весны 1921 года в разных районах не только Поволжья, но и Урала, Сибири, Северного Кавказа и Украины начали появляться очаги голода. Чекисты на местах исправно доносили о подавлении крестьянских бунтов, но число смертей от истощения и эпидемий уже не поддавалось учету. Отовсюду поступали сообщения, что матери, не желая видеть страдания детей, «натапливают избы, закрывают трубы и засыпают вечным сном»: так угорали целые семьи. Крестьянин Бузулукского уезда Самарской губернии Мухин на дознании заявил следователю: «У меня семья состоит из 5 человек. Хлеба нет с Пасхи. Мы сперва питались корой, кониной, собаками и кошками, выбирали кости и перемалывали их. В нашем селе масса трупов. Они валяются по улицам или складываются в общественном амбаре. Я вечерком пробрался в амбар, взял труп мальчика 7 лет, на салазках привез его домой, разрубил топором на мелкие части и сварил. В течение суток мы съели весь труп. Остались лишь одни кости. У нас в селе многие едят человеческое мясо, но это скрывают».

Советская власть вынужденно пошла на определенные уступки. В стране была принята «Новая экономическая политика» (НЭП). 26 июня 1921 года газета «Правда» признала, что в стране голодает около 25 миллионов человек (на самом деле эту цифру нужно было увеличить вдвое). Согласно данным официальной статистики, голод охватил около 40 губерний (Поволжье, Южную Украину, Крым, Башкирию, частично Казахстан, Приуралье, Западную Сибирь). Большевистскому правительству пришлось, скрипя зубами, искать помощи «враждебных» капиталистических государств. Максим Горький обратился через прессу ко всем «честным людям Европы и Америки» с просьбой о поставках хлеба и лекарств.

Герверт Гувер

Одним из первых откликнулся министр торговли США Герберт Гувер. Спустя два дня он уведомил Горького, что сможет кормить до миллиона детей России. У Гувера была репутация человека, для которого нет ничего невозможного. В конце Первой мировой войны он создал «Американскую администрация помощи» (*American Relief Administration*, в русском сокращении АРА), которая поставляла продовольствие в разоренные войной области Европы. При этом Гувер был ярым антисоветчиком; известно его высказывание «Большевизм — это хуже, чем война». США не признавали советскую Россию, но когда в Америке раздались голоса против помощи красным, министр Гувер ответил: «Миллионы людей голодают. Независимо от политики им надо есть».

Первые пароходы с продовольствием пошли в Россию еще до подписания формальных соглашений с Советами. Понимая, с кем придется иметь дело, Гувер решил составить договор, изложив в нем порядок взаимодействия и обязанности сторон. Предложенный Кремлю контракт был выдержан в твердых тонах. Никакого вмешательства большевиков в работу АРА не допускается. Распределяют продукты американцы с помощью русских сотрудников, отобранных американцами. Советские власти отвечают за перевозки внутри страны и предоставляют необходимые помещения. Одно из важнейших условий: выпустить из чекистских тюрем всех находящихся там граждан США.

Председатель Совнаркома В.И. Ленин, узнав о требованиях Гувера, пришел в бешенство: «Подлость Америки, Гувера и Совета Лиги наций сугубая, — писал он в Политбюро, — Надо наказать Гувера, публично дать ему пощечины, чтобы весь мир видел, и Совету Лиги наций тоже». Но даже в ленинском окружении понимали, что другого выхода у них нет.

Американский пароход «Феникс» с продовольствием прибыл в Петроград 1 сентября 1921 года, а 6 сентября там же открылась первая столовая АРА в Советской России. В первые недели сентября американские представители в Петрограде открыли 120 кухонь для 42 тысяч детей. Согласно правилам, установленным АРА, пищу в столовых могли получать дети в возрасте до 14 лет, прошедшие медицинское обследование (там, где это было возможно), и признанные голодающими. Каждый ребенок, прикрепленный к столовой АРА, должен был иметь специальную входную карточку (*Admission Ticket*), на которой делались специальные пометки о посещении столовой. Горячий обед выдавался в строго определенное время. Порция должна была быть съедена в столовой, и уносить ее домой не разрешалось.

Гораздо хуже оказалось положение на местах. Посетив Оренбург, одна из групп Гувера докладывала: «Мертвые лежат на улицах города и на дорогах, ведущих в деревни, где они быстро становятся добычей собак и птиц. Больные и голодающие собираются в домах, а там нет никаких условий для ухода за ними». Герберт Гувер распорядился наращивать масштабы планирования и оказания помощи не только детям, но и взрослым. Кадровый офицер, полковник Уильям Хаскелл (*William Haskell*) возглавил штаб миссии АРА в Москве. В США началась кампания по сбору денежных средств, в том числе, было направлено обращение в Конгресс о финансировании. Все это происходило в момент, когда Соединенные Штаты сами страдали от внутренних неурядиц, переживая массовую безработицу, и министр Гувер в тот же период координировал помощь американцам, оказавшимся без средств существования.

События в России ставили американских добровольцев в тупик. Нарком иностранных дел Г.В. Чичерин 23 октября 1921 года писал Ленину: *«Американский миноносец, на котором ехали некоторые гуверовцы, был остановлен в море новороссийскими че-*

кистами, которые произвели на нем обыск, и держались крайне грубо по отношению к американцам». Грузы с продовольствием застревали в портах и на железных дорогах, гнили и разворовывались. Бесконечные проволочки и бюрократические формальности затягивали получение помощи на местах, в том время как голод косил население в немыслимых количествах: согласно статистике, от истощения и вызванных им болезней умирало 15 тысяч человек в день.

Как на самом деле относились в Кремле к деятельности АРА «разъяснял» информационный бюллетень НКИД РСФСР от 17 октября 1921 года: «...Поддерживает же американское [правительство] *начинания Гувера, главным образом, с целью популяризации Америки в России, считая в то же время крупную буржуазную помощь голодающим своего рода агитацией против советского строя».* Но в первое время большевики были вынуждены соблюдать договоренности с Гувером.

К 10 декабря 1921 года продовольствие АРА получали в Самарской губернии 185625 детей, в Казанской — 157196, в Саратовской — 82100, в Симбирской — 6075, в Оренбургской — 7514, в Царицынской — 11000, в Московской — 22000, всего же — 565112 детей. 22 декабря Конгресс США после длительных дебатов одобрил выделение 20 миллионов долларов для закупки продуктов у американских фермеров для России. Гуверу удалось убедить консервативных, антисоветски настроенных законодателей в том, что помогать можно и без официального признания большевистского правительства.

Заокеанские посланники поначалу сталкивались с недружелюбным отношением на местах. Распространялись слухи, что иностранцы приехали в Россию скупать ее природные богатства. Недовольство вызывали требования американцев проводить вакцинацию населения. Говорили, что прививки — это происки дьявола, который таким способом решил наложить на русских людей американское клеймо. Наглядная агитация, объясняющая преимущества прививки, действия не возымела. Тогда американцы объявили, что пайки будут выдаваться только по предъявлении отметки о вакцинации, и в медпунктах началось столпотворение.

Герберт Гувер создал АРА как организацию с минимальной бюрократией. Сотрудники привыкли запросто обращаться к шефу. Он принимал решения; если требовалось, выезжал на место. В Советской России такой подход не годился. Член правительства Гувер не мог отправиться в страну, с которой Америка не поддерживала дипломатических отношений. По этой причине он привлек на командные посты демобилизованных офицеров армии США. Цель была иметь на месте людей, привыкших брать ответственность на себя и быстро принимать решения. *Однако* присутствие военных вызывало подозрения чекистов и бдительных партийцев. Они считали, что в случае необходимости эти офицеры могли бы стать «инструкторами контрреволюционных восстаний».

Для упорядочения работы органов ВЧК в отношении иностранных организаций в конце октября 1921 года был издан приказ «О чекобслуживании иностранцев», в котором отмечалось, что американцы из организации АРА проводят разведывательную деятельность на территории России. Чекисты трудились в поте лица. Велось наблюдение за гуверовцами, их почтовая корреспонденция вскрывалась, в АРА внедрялись «проверенные коммунисты». В записке начальника Осведомительного отдела ИНО ВЧК Я. Залина от 26 января 1922 г. указывалось, что в результате «систематического наблюдения за деятельностью АРА» выявлены многочисленные факты «подрывной» деятельности американских сотрудников: *«антисоветская агитация в беседах с крестьянами, уничтожение портретов Ленина и Троцкого в столовой»* и т. д.

Советское центральное статистическое управление определило убыль населения за период с 1920 по 1922 гг. в 5,1 млн. человек. Голод в России, если не считать военных потерь, был крупнейшей для того времени катастрофой в европейской истории после средневековья. 27 января 1922 года нарком здравоохранения Семашко писал членам Политбюро: белогвардейская печать усиленно смакует «ужасы людоедства в Советской России». Политбюро поддержало Семашко, и 30 января запретило упоминать о каннибализме.

Анализ деятельности «Американской организации помощи» производил А. В. Эйдук, старый чекист, представлявший советское правительство при АРА. По его подсчетам, в мае 1922 года АРА ежедневно кормила 6,1 миллиона человек. Другие международные организации, включая Красный крест и комитет Ф. Нан-

Столовая АРА

сена, кормили еще около миллиона человек. За время деятельности АРА было выдано более миллиарда (1 019 169 839) детских порций и около восьмисот миллионов взрослых. Калорийность пайка для детей равнялась 470, для взрослых — 614 калорий. Питание выдавалось населению бесплатно. Наряду с продовольственной помощью, согласно договору от 22 октября 1922 года, АРА выдавала нуждающимся обувь, белье и многое другое. Организовывались приюты для беспризорных детей, бесплатные аптеки, бани. В сельских местностях американцы снабжали население сельскохозяйственным инвентарем, прислали трактора. В 1922 и 1923 гг. АРА снабдила Россию посевным зерном, которого хватило на засевание приблизительно 3,23 миллионов гектаров полей, тем самым обеспечив возможность получения хороших урожаев в последующие годы.

Историк Леонид Млечин писал: «Пожалуй, это была первая встреча двух народов, двух ментальностей, двух представлений о жизни. В Россию поехали молодые американцы — вчерашние фронтовики, ковбои, искатели приключений. Потрясли их не столько ужасный голод, сколько невежество и подозрительность власти. Американцы органически не принимали фатализма, пассивности, инертности, возмущались безответственностью, неорганизованностью, бесконечными перекурами, когда нужно было работать. Американцы поражались: как можно красть продукты, предназначенные для голодающих детей? Требовали гласного суда над пойманными ворами».

Гувер поначалу оговаривал, что американская помощь будет лишь добавкой к ежедневному рациону советских людей. Собственное правительство должно заботиться о своем народе. Но часто ситуация была настолько бедственной, что американский паек оказывался единственной едой, доставшейся голодным детям. Многие из них впервые в жизни увидели белый хлеб, сгущенное молоко, какао…

Кроме продовольствия, США предоставили медицинскую помощь более чем на 10 миллионов долларов: перевязочный материал, одеяла, больничное оборудование и до 75 наименований лекарств. Эти средства АРА получала из двух источников: запасов военного ведомства — на 4 миллиона долларов, запасов Красного Креста — на три миллиона долларов. Остальное было пожертвовано частными лицами. Медицинскую помощь в России получили более миллиона больных, несколько миллионов человек были вакцинированы от холеры, оспы и тифа. При этом американцы постоянно сталкивалась с реквизициями лекарств и оборудования. АРА вынуждена была предъявить властям ультиматум: снабжение больниц, где будет конфисковано хоть что-нибудь из поставок, американская сторона немедленно прекратит. Такой разговор возымел действие.

После реорганизации органов госбезопасности, прошедшей в начале 1922 года, на основе ВЧК было образовано Государственное политическое управление (ГПУ). В марте 1922 года Политбюро приняло постановление, в котором председателю ГПУ Ф. Э. Дзержинскому поручалось организовать особое наблюдение за деятельностью американцев. В ГПУ был сделан вывод, что среди иностранных организаций в РСФСР, так или иначе помогающих контрреволюции, видное место занимает АРА, *«которая в 1919 году успешно помогла мадьярской буржуазии свергнуть венгерское советское правительство»*.

Усилия Гувера по спасению русских не имели аналогов в истории. В июле 1922 года ежедневную пищу в столовых АРА получали 8,8 миллионов человек, а в августе — более 11 миллионов. В это трудно поверить, но наладить столь слаженно работающий аппарат в необъятной и дезорганизованной России смогли всего триста граждан Соединенных Штатов. Под руководством полковника Хаскеллла они приняли на службу более ста тысяч россиян, работавших в отделениях АРА в 38 губерниях. Эти русские были главной головной болью чекистов. По требованию Гувера, нанимали людей грамотных и знавших иностранный язык. Этим критериям отвечали, главным образом, «бывшие» — представители образованного сословия, столь ненавидимого «рабоче-крестьянской» властью. По советской конституции 1918 года, они были официально лишены всяких прав. Сегодня уже трудно подсчитать, сколько жизней своих служащих — земских учителей, врачей, офицеров, священников, инженеров — спасли американцы, давая им продукты и заставив большевистских вождей платить им зарплаты.

Советская власть периодически проверяла американцев на прочность. 10 февраля 1922 года по обвинению в контрреволюционной деятельности Царицынская ГубЧК арестовала старшего контролера отделения АРА Михаила Арзамасова. Уже через неделю он был приговорен к расстрелу. «Американская организация помощи» приняла вызов. По получении известия об аресте сотрудника, царицынское отделение АРА прекратило раздачу пайков для взрослого населения. 20 апреля 1922 года глава АРА в Москве полковник Хаскелл направил письмо в ГПУ: «Считаю нужным обратить Ваше внимание на то, что, хотя город Царицын и крайне нуждается в помощи, вся работа по оказанию помощи питанием приостановлена в нем до выяснения решения Вашего правительства по вопросу о судьбе этого явно ни в чем неповинного сотрудника Американской администрации помощи». Чекистам вновь пришлось отступить. Дело Арзамасова было пересмотрено и постановлением Коллегии ГПУ от 25 апреля 1922 года прекращено; обвиняемый был освобожден. Впрочем, следствие по «делу Арзамасова» формально продолжалось еще четыре года.

Согласно договоренностям с Гувером, американцы также могли посылать в Россию продовольственные и вещевые посылки. За два года жители США отправили более 100 тысяч продуктовых посылок и 42 тысячи вещевых. Это была поистине народная помощь — посылки отправляли рабочие, служащие, фермеры. Участвовали в кампании герлскауты, возглавляемые супругой министра Лу Гувер. Но бдительное ГПУ обратило внимание, что посылочные отделения АРА были расположены таким образом (на Украине и в полосе Западной границы), что в случае интервенции могли превратиться в идейные и материальные «опорные базы контрреволюции».

Историки М.Я. Геллер и А.М. Некрич отмечали некоторые особенности психологии большевиков: «В истории АРА выработалась модель поведения советской власти по отношению к тем, кто приходил ей на помощь, стремясь при этом сохранить некоторую самостоятельность: 1) уступки, если нет иного выхода, 2) отказ от уступок, едва необходимость миновала, 3) месть».

Месть большевиков сначала коснулась Комитета Помгол (Помощь голодающим), который создали видные представители российской интеллигенции. Ленин просил поставить на Политбюро вопрос о немедленном роспуске Помгола и аресте или ссылке его лидеров. Он также потребовал, чтобы «на сотни ладов» пресса «высмеивала и травила не реже одного раза в неделю в течение двух месяцев» его членов. В итоге руководителей Помгола бросили в тюрьму, затем выслали из страны.

Борьба с голодом стала формальным поводом для разгрома православной церкви. Вместе с насильственным изъятием — якобы для нужд голодающих — церковных ценностей начались массовые репрессии против священнослужителей. 19 марта 1922 года Ленин направил секретное письмо членам Политбюро, призывая к расправе с духовенством «с самой бешеной и беспощадной энергией, не останавливаясь перед подавлением какого угодно сопротивления ... Чем большее число представителей реакционной буржуазии и реакционного духовенства удастся нам по этому поводу расстрелять, тем лучше».

Корней Чуковский писал в 1923 году: «Знаешь ли ты, мой дорогой Рокфеллер, что эти три посылки АРА значили для меня? Понимаешь ли ты, как благодарен я Колумбу за то, что в один прекрасный день он открыл Америку?.. Эти три посылки значат для меня больше, чем просто спасение от смерти. Они дали мне возможность вернуться к литературной работе, и теперь я снова чувствую себя писателем».

Чекисты быстро уловили перемену отношения населения к американцам. Янки стали восприниматься не только как спасители, но и как наиболее эффективно работающий аппарат на местах. В АРА поступали письма из деревень с просьбой прислать портрет Гувера, чтобы поместить его в красном углу. Это наносило ущерб государственной идеологии большевиков. Несмотря на то, что во многих районах России и Украины сохранялась угроза голода, 29 марта 1923 года на заседании Политбюро ЦК РКП (б) было принято постановление о ликвидации деятельности АРА на советской территории. Весьма дальновидно постановили «*начать ликвидацию тогда, когда грузы АРА, находящиеся в пути и в портах, будут развезены по местным базам, т.е. с июня месяца*».

К тому времени Гувер получил еще одну пощечину от Ленина. Оказалось, что большевики, принимая продовольственную помощь из Америки, вывозят и продают собственное зерно в Европу. Вырученная валюта шла на финансирование «мировой пролетарской революции» и дружественных компартий. Подавляющая часть изъятых русских церковных ценностей отправилась в переплавку, а полученные от продажи деньги шли не на борьбу с голодом, а на содержание партийной и советской бюрократии (именно в это время сотрудникам госаппарата были увеличены зарплаты, назначены различные виды довольствия и пр.)

Отметим, что в соседней Польше благотворителя и филантропа Гувера почитали как святого. Вышла почтовая открытка с портретом Гувера с венком, который держат над ним ангелочки. В его честь назвали улицы в городах и площадь в Варшаве. В 1922 году на этой площади воздвигли монумент: женщина, символизирующая Америку, держит на руках двух младенцев (памятник был разрушен в годы Второй мировой войны).

Летом 1923 года деятельность «Американского комитета помощи» в России полностью прекратилась. Остатки продовольствия — муку, крупы, чай, сахар, консервированное молоко, какао, а также запасы лекарств — американцы оставляли местным советским властям. Когда гуверовцы уезжали, из Москвы пришло распоряжение: «При отъезде АРА приветствия, благодарность, проводы могут быть устроены, но должны иметь абсолютно официальный характер… Ни в коем случае не должно быть массовых, от имени населения благодарственных актов и выступлений».

В 1922 году Нобелевскую премию мира получил известный полярный исследователь и общественный деятель Фритьоф Нансен. Норвежец был награжден ««за многолетние усилия по оказанию помощи беззащитным», прежде всего за усилия в деле репатриации беженцев и помощь голодающим в России. Кандидатура Гувера, кормившего миллионы людей в России и странах Европы, никогда всерьез не рассматривалась. В последующие два года Нобелевская премия мира не присуждалась.

В СССР в то же время шла пропагандистская компания, направленная на дискредитацию «Американской организации помощи». Стали появляться статьи, что богатый дядя Сэм сбывал в Россию залежалые и никому не нужные товары. Весной 1924 года в Киеве были арестованы «шпионы, нанятые АРА за еду». 18 мая того же года «Известия» написали о суде над двумя бывшими сотрудниками АРА. Они получили тюремные сроки за разглашение «секретных сведений» о количестве засеянных полей и поголовье крупного рогатого скота в Белоруссии. Узнав о репрессиях, Гувер заявил, что отныне дверь для какой-либо будущей американской гуманитарной помощи Советской России закрыта.

Большая Советская Энциклопедия 1950 года подвела итог деятельности американцев в России: «Предоставленную ей возможность создания собственного аппарата в Советской России АРА использовала для шпионско-подрывной деятельности и поддержки контрреволюционных элементов. Действия АРА вызвали решительный протест широких масс трудящихся».

Герберт Кларк Гувер в 1920-е годы оставался самым популярным политиком Америки. Его избрание в Белый дом вызвало ликование. К несчастью, в первый же год президентства случился крах Фондовой биржи (октябрь 1929), с которого начался самый тяжелый в истории США экономический кризис. Гувера до сего дня обвиняют как президента, не сумевшего предложить эффективной стратегии выхода из Великой депрессии. Врезавшимся в память американцев образом эпохи остались очереди за благотворительным супом и появившиеся во всех американских городах трущобы бездомных, прозванные «гувервиллями».

Многие историки, впрочем, считают, что президенту Гуверу просто не повезло. На пике кризиса никакие меры не помогали, и самый деятельный политик наткнулся бы на пределы своих возможностей, а «Новый курс» его преемника Рузвельта стал эффективными, когда низшая точка депрессии была уже позади. Кроме того, Рузвельт продолжил и значительно усилил ряд мер, предпринятых еще гуверовской администрацией. Тем не менее, оттенять успехи «белого рыцаря-демократа Рузвельта при черном республиканце Гувере» на много лет стало любимым занятием масс-медиа.

Живший в уединении экс-президент понадобился спустя двадцать лет, по окончании Второй мировой войны. Европа оказалась на краю экономической пропасти, и глава Белого дома Гарри Трумэн попросил Гувера вновь направиться за океан. «Вы знаете о голоде больше, чем кто-либо на Земле», — сказал Трумэн. Семидесятилетний Герберт Гувер объездил многие страны Европы, Азии, Латинской Америки, чтобы без помпы, речей и церемоний собрать необходимую информацию для правительства США. По итогам его работы представленный Трумэном билль об ассигновании 425 млн. долларов на оказание помощи двум десяткам стран получил одобрение Конгресса.

Историк Ричард Пайпс писал: «Многие государственные деятели занимают видное место в истории благодаря тому, что послали на смерть миллионы людей; Герберт Гувер, скоро забытый в России, а впоследствии президент США, имеет редкую возможность занять достойное место в людской памяти как спаситель миллионов». Остается лишь добавить, что эти, спасенные Гувером миллионы русских, через двадцать лет, на фронте и в тылу смогли одержать великую победу над фашизмом. Вот только захотят ли когда-нибудь в России поставить памятник одному из самых неудачливых американских президентов?

Хроника XX столетия

1907 — в США прибыло рекордное число иммигрантов за один год — 1285349 человек.

1909–1913 — президентство Уильяма Тафта.

1909 — экспедиция Роберта Пири достигла Северного полюса.

1910 — физик Роберт Милликен измерил заряд электрона.

1910 — в Нью-Йорке начала выходить газета «Новое русское слово». Издание просуществовало сто лет, печатая самых известных писателей-эмигрантов, в том числе И. Бунина, М. Алданова, В. Набокова, И. Бродского.

1911 — в Голливуде возникла первая киностудия.

1912 — Нью-Мексико и Аризона вошли в состав США.

1913–1921 — президентство Вудро Вильсона.

1913 — учреждена Федеральная резервная система США.

1913–1915 — биолог Томас Морган сформулировал теорию генетической наследственности.

РУКОПИСИ И СЮЖЕТЫ

В 1960 году в Нью-Йорке, дожив до глубокой старости, умерла малоизвестная на Западе писательница. В девичестве ее звали Лили Буль, русские друзья называли Лилией Григорьевной, а самый главный человек ее жизни — «Булочкой». Этель Лилиан Буль (*Boole*, 1864–1960) родилась в Ирландии, всю жизнь любила Россию и ее мужчин, но большую часть жизни провела в Америке. Отец ее, Джордж Буль, был крупным ученым — философом, математиком, членом Лондонского Королевского общества. Он заложил основы математической логики (старшее поколение помнит выражение «булева алгебра») — эта наука, в свою очередь, стала предтечей компьютерного дела. Мать Лилиан, Мэри Эверест, происходила из интеллигентной семьи: ее отец, ректор колледжа, преподавал греческий, а дядя возглавлял британскую геодезическую службу, и в его честь назван величайший пик планеты.

Лилиан была младшей, пятой дочерью профессора Буля. Она любила слушать рассказ матери о том, как их семья однажды приютила в своем доме двух итальянских карбонариев, приговоренных к пожизненному изгнанию. Их посадили на корабль, следовавший из Италии в далекую Америку. Но изгнанники сумели поднять бунт среди команды. Корабль бросил якорь близ ирландского Корка, родного города Булей. Сердобольный профессор поселил беглецов на чердаке своего дома. Поправив здоровье, итальянцы уехали, горячо заверив своих благодетелей, что вечно будут их должниками. Эта идеализированная история долго будоражила фантазию юной Лили.

В 1882 году, получив небольшое наследство, Лилиан окончила консерваторию в Берлине по классу фортепиано. Но мечта стать пианисткой не осуществилась из-за неожиданно разыгравшегося артрита. Одновременно с обучением музыке она слушала лекции по славистике в Берлинском университете. Лили с восторгом прочла книгу под названием «Подпольная Россия»:

Лилиан Буль

лондонское издание состояло из очерков о Вере Засулич, Софье Перовской, князе Кропоткине и других революционерах-народниках, которых автор книги, некий Степняк, знал лично. Лилиан специально приехала в Лондон, чтобы познакомиться с этим человеком.

Можно представить, как поразил юную мисс Буль романтический Степняк-Кравчинский — кудлатый гигант, который воевал против турок на Балканах, участвовал в вооруженном восстании в Италии, создавал «Народную волю» в Женеве. Средь бела дня в Петербурге Кравчинский заколол итальянским кинжалом шефа жандармов Мезенцева. У современников, в частности у Бернарда Шоу и Оскара Уайльда, неистовый «тираноборец» вызывал восхищение. Необыкновенные качества Кравчинского отразились в романах французов Э. Золя («Жерминаль») и А. Доде («Тартарен в Альпах»), американца У.Д. Хоуэллса («Путешественник из Альтрурии»). Образ Степняка присутствует в поэме Блока «Возмездие», а Лев Толстой лично перевел на русский «Подпольную Россию».

Кравчинский шутя называл Лили «Булочкой», учил ее русскому языку. В знак траура по прискорбно-несправедливому устройству мира Лилиан одевалась только в черное и работала над рукописью своего первого романа «*The Gadfly*» («Жалящая муха») — такой псевдоним принадлежал древнегреческому философу Сократу. Более того, девушка решила своими глазами увидеть родину своего учителя.

Лилия Григорьевна, как звали ирландку в России, два года проработала в Воронежской губернии преподавательницей музыки и английского в имении Веневитиновых (потомков известного поэта). Некоторое время она жила и в Петербурге, где налаживала связи среди народовольцев. Ее идеал в это время находился в Америке: добывал средства для «Фонда вольной русской прессы». Они вновь встретятся в Лондоне: Лили была безнадежно влюблена. Но у Кравчинского была жена, которая носила ласкающее ухо русских патриотов имя Фаина Марковна Личкус.

«Булочка» решила не создавать любовный треугольник и вышла замуж за соратника Степняка. Его звали Михаил, но он носил псевдоним Вилфрид. Лили встретила его на лондонской квартире Кравчинских, куда пришел из сибирской ссылки этот худой, оборванный беглец. Сын титулярного советника Ковенской губернии Войнича, Вилфрид учился на провизора в Московском университете, затем был арестован по делу польской партии «Пролетариат». В ссылке в Иркутской губернии Вилфриду пришлось делить дом с будущим главой Польши Юзефом Пилсудским и Александром Тарковским, отцом замечательного русского поэта Арсения Тарковского и дедом кинорежиссера Андрея Тарковского — в нашей истории явный избыток сюжетов.

У них был «революционный» брак: Лилиан и Михаил-Вилфрид являлись скорее соратниками по борьбе. Вскоре, впрочем, молодая писательница вновь испытала настоящее чувство. Во Львове, куда ирландская «буревестница» приехала для налаживания каналов переправки нелегальной литературы в Россию, она повстречала бывшего одессита Зигмунда Розенблюма, более известного как Сидней Рейли. Британский «ас шпионажа» и один из самых знаменитых авантюристов XX века, Рейли владел семью языками как своим родным, а женщины считали его самым очаровательным мужчиной своего поколения. У него были три официальных жены, причем, так уж получалось, что порой он оказывался двоеженцем. Множество любовниц с готовностью служили ему. Даже враги Рейли признавали его предприимчивость и неотразимое обаяние.

Ирландка и одессит полгода путешествовали по Италии, где Лилиан окончательно определилась с сюжетом книги. Из авантюрной биографии Рейли и внушений Кравчинского соткалась «Жалящая муха». В 1897 году книга почти одновременно вышла в Англии и США. Британцы ее попросту не заметили. Американский рецензент написал, что роман весьма вреден для молодых неокрепших умов, так как его «страницы наполнены кощунством и богохульством». Лучшей рекламы и не придумаешь. Весь американский тираж был продан, причем читатели уверовали, что автор произведения — мужчина.

Лилиан же очень хотелось, чтобы книга была опубликована в России. С начала 1898 года роман начал выходить отдельными главами, но с цензурными купюрами в журнале «Мир Божий» (вот уж каприз истории!). Наконец-то романтический герой Войнич Артур Бертон заговорил по-русски, а сам роман получил название «Овод».

Сиднея Рейли называют прототипом ряда литературных героев — от легендарного английского «агента 007» Джеймса Бонда до нашего земляка Остапа Бендера. В его биографии есть многое от Овода: молодой человек, трагически переживающий измену матери, ложь отца, скрывавших постыдную тайну его происхождения. Так же, как и Овод, Зяма Розенблюм убежал из отцовского дома, оставив записку: «Ищите мой труп в море», долго скитался по Южной Америке... А страдания любящей Джеммы — разве это не боль и печаль самой Лилиан?

В жизни вышло несколько иначе, чем в романе. Сидней Рейли всей душой ненавидел советскую власть. В 1918 году он разработал фантастическую операцию, в ходе которой рассчитывал арестовать все большевистское правительство во главе с Лениным и под прикрытием латышских стрелков вывезти на английском крейсере в Лондон. Увы, латышские стрелки подвели, и дни свои Рейли окончил в подвале Лубянки. Усмешка истории заключается в том, что несколько поколений советской молодежи боготворили в образе Овода матерого антисоветчика, мечтавшего уничтожить Ленина.

В 1920 году супруги Войнич перебрались за океан. Америка меняла людей всерьез и надолго. Закончилась тайная жизнь с фальшивыми именами и паспортами. Этель Лилиан оставила литературную деятельность и обратилась к сочинению музыки, а ее муж стал книготорговцем-антикваром, открыл в Нью-Йорке собственный магазин. После революционных бурь жизнь повернула в тихую буржуазную гавань.

Всю жизнь Михаил-Вилфрид был азартным собирателем редких изданий. Поиск старинных рукописей превратился у него в настоящую страсть. И ему действительно везло: однажды Войнич даже приобрел географическую карту, составленную самим Магелланом. А Этель Лилиан более тридцати лет (с перерывами) работала над ораторией «Вавилон», затем создала несколько больших произведений для хора и оркестра, в том числе кантату «Подводный город», «Эпитафию в форме баллады» для мужского хора и оркестра. О необыкновенной судьбе своего романа в

СССР — миллионных тиражах, многочисленных инсценировках и экранизациях «Овода», о популярности у советских людей имени Артур — Лилиан узнала, когда ей было за девяносто: в 1955 году ее разыскала в США литературовед Евгения Таратута (до этого в Советском Союзе Войнич считалась давно умершей).

Этель Лилиан стали навещать в Нью-Йорке делегации советских писателей, артистов Большого театра, ее засыпали «Оводами» на татарском, узбекском, грузинском — на всех языках народов СССР и мешками писем. Ее именем назовут одну из малых планет… Но сама Войнич не слишком охотно вспоминала историю Артура Бертона. У советских дипломатов и литераторов вызывали снисходительную улыбку рассказы старой писательницы о некой таинственной рукописи мужа и ее попытки сесть к роялю и сыграть отрывки из оратории. «Если я и создала что-нибудь оправдывающее мое существование, то это — «Вавилон». Все мое литературное сочинительство было лишь подготовкой к моему музыкальному творчеству», — ответила она писателю Б. Полевому летом 1956 года.

28 июля 1960 года Этель Лилиан Войнич умерла в возрасте 96 лет в своей скромной квартирке на Вест 24-й улице в Манхэттене. Согласно завещанию, ее тело было кремировано, а прах развеян над Центральным парком Нью-Йорка. Но тайн в семье Войнич с годами не убавлялось. По мере того, как остывали страсти по «Оводу», росла известность «манускрипта Войнича», названного по имени его открывателя, супруга писательницы. И эта вторая история семейства выглядит не менее таинственной и увлекательной.

В 1912 году Михаил-Вилфрид наткнулся на манускрипт, который среди вороха старых книг продавали монахи иезуитского колледжа во Фраскати, возле Рима. Иезуиты искали деньги на ремонт колледжа и продали библиофилу часть коллекции с твердым условием никому и никогда не разглашать имени продавца. Свое обещание Вилфрид не нарушил до самой смерти.

Рукописная книга, доставшаяся нью-йоркскому букинисту, содержала 240 страниц тонкого пергамента. Текст ее был исполнен птичьим пером и искусно иллюстрирован. Войнич был особенно заинтересован тем, что манускрипт написан неизвестным языком (или шифром) и содержал загадочные рисунки. Лили была заинтригована не меньше мужа. Вспомнив, как блестяще ей удавалось прочитывать закодированные письма революционеров на разных языках, она часами просиживала за книгой. Супруги работали в архивах и библиотеках, вели переписку с коллекционерами и специалистами по древним языкам, но все было напрасно.

Как выяснилось впоследствии, алфавит манускрипта не имеет визуальной схожести ни с одной известной системой письма. Судя по многочисленным цветным иллюстрациям, один из разделов книги посвящен ботанике. Но ни одно нарисованное дерево, ни один цветок даже отдаленно не были похожи на те, что растут на Земле. Далее шли рисунки звезд, солнца, планет и, предположительно, спиральной галактики, вывернутой наизнанку. Концентрические диаграммы с женскими фигурами располагались на больших, вчетверо сложенных страницах.

Единственным ключом к разгадке таинственного текста служило письмо на латыни, оказавшееся между страниц манускрипта, датированное 1665-м (или 1666-м) годом. Оно принадлежало перу ректора Карлова университета в Праге Яна Маркуса Марци. Видный ученый своего времени Марци занимался исследованиями в области механики и оптики, открыл дисперсию света и первым объяснил цвета радуги. Ректор пражского университета писал, что сей манускрипт был куплен императором Рудольфом II Богемским за 600 дукатов (в те времена это почти три килограмма золота). Сам Марци, как и император Рудольф, считал, что манускрипт содержит зашифрованные записи английского философа и естествоиспытателя Роджера Бэкона, жившего в XIII веке.

У францисканского монаха и мистика Роджера Бэкона была слава великого мага, хотя на самом деле он интересовался главным образом тем, что мы сегодня называем научным экспериментом. Ученый предсказал появление микроскопа и телескопа, кораблей, приводимых в движение паром, описал порох, телефон и летательные аппараты. При этом Бэкон интересовался алхимией, астрологией и тайнописью, и многие из его неопубликованных работ все еще дожидаются своих исследователей.

Данные современной науки подтверждают почтенный возраст как манускрипта, так и приложенного письма. Рукопись словно притягивала великие имена прошлого. На одной из ее страниц Войнич сумел идентифицировать подпись Якоба Хорчицки, личного лекаря и смотрителя Ботанических садов императора Ру-

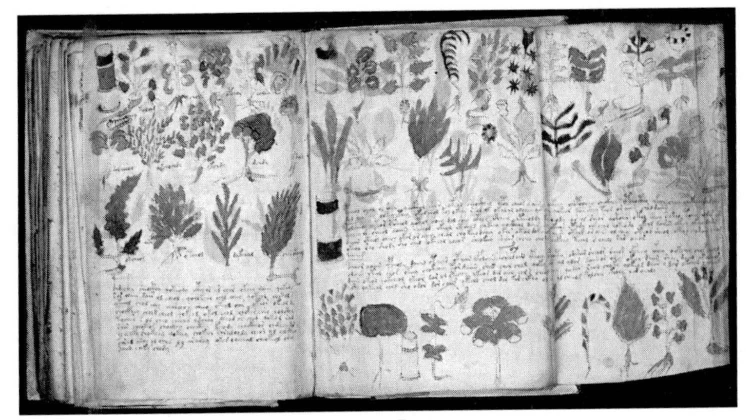

Манускрипт Войнича

дольфа II. Влиятельный алхимик при дворе Хорчицки, судя по некоторым пометкам латиницей, безуспешно пытался разгадать секреты текста. Упомянутое письмо ректора Марци адресовано иезуиту Атанасиусу Кирхеру, преподававшему в Римской Коллегии. Этот высоко образованный монах спускался в кратер Везувия на веревке и высказывал предположения о существовании микробов, а по числу научных трудов и изобретений уступал лишь Леонардо да Винчи. Родоначальник системного анализа Кирхер знал множество древних языков, в частности придумал стройную (хотя и ошибочную) систему расшифровки египетских иероглифов и разработал грамматику коптского языка. Именно поэтому ректор пражского университета просил ученого расшифровать таинственный манускрипт, поскольку, по его мнению, Кирхер — «единственный, кто сможет это сделать».

Считается, что с тех времен книга хранилась вместе с остальной перепиской Кирхера в библиотеке Римской Коллегии (ныне Григорианский университет). «Рукопись Войнича» содержит экслибрис Петруса Бекса, главы иезуитского ордена и ректора университета. В XIX веке коллекцию Бекса перевезли, подальше от итальянских революционных бурь, на виллу Мондрагон во Фраскати — бывший дворец семьи Боргезе, приобретенный для библиотеки иезуитов. Именно сюда инкогнито приехал библиофил Вилфрид Войнич.

Еще в 1919 году раскрыть секреты книги попытался знаток средневековья, профессор философии Пенсильванского университета Уильям Ньюболд, который официально считался криптологом номер один в мире. В годы Первой мировой войны Ньюболд работал на правительство США, расшифровывая военные коды, и не было еще кода, который бы он не смог взломать. В 1921 году Ньюболд опубликовал результаты двухлетних исследований. По его мнению, эта книга — Opus Magnum — была написана Роджером Бэконом, тайные знания которого опередили свое время на несколько столетий. Ньболд считал, что текст описывал строение внутренних органов человека, клеток, сперматозоидов, а также солнечное затмение и строение туманности Андромеды. Но в конце доклада Ньюболд сам признался, что его метод содержал массу допущений и предположений, и каждый раз, расшифровывая один и тот же фрагмент текста, он приходил к новому результату.

Сегодня содержание древнего манускрипта в гораздо большей степени занимает умы исследователей, нежели любовь Артура и Джеммы. После смерти Войнича в 1930 году книга перешла по наследству его вдове. Давно отошедшая от литературы Этель Лилиан продолжала рассылать фотокопии рукописи по университетам и исследовательским центрам. Это вызвало широкий резонанс, ученые даже организовали неформальное «общество Войнича». На протяжении десятилетий лучшие умы бились над расшифровкой документа. Не преуспел никто. Даже гениальный Уильям Фридмен — человек, «расколовший» хитроумные японские дипломатические коды во время Второй мировой войны, не справился с задачей. Не менее одаренный Джон Тилтмен, руководитель британского дешифровального отдела, который лично участвовал во взломе самых секретных кодов нацистской Германии, не смог подобрать ключ к рукописи.

«Манускрипт Войнича» официально признан самой загадочной книгой мира. По сей день языковеды, историки и криптографы разных стран пытаются найти свидетельства ее происхождения, содержания (или хотя бы намек на них), определить ее культурное или религиозное значение. Текст книги безусловно слишком сложен, чтобы быть банальной средневековой мистификацией. Уже упоминавшийся Уильям Фридмен выдвинул гипотезу о том, что язык документа — искусственный, некий средневековый прообраз эсперанто. Этого исключить нельзя, хотя науке не известны попытки создания искусственного языка в те далекие времена. Самым сильным аргументом в пользу этой теории являются выводы исследователя Майка Роя, который определил приставки, корни, суффиксы и окончания в «языке Войнича». На сегодня это самая перспективная теория.

После смерти создательницы «Овода» рукопись досталась ее подруге и секретарю Энн Нилл. Та вскоре продала манускрипт антиквару Хансу Краусу. С каждым годом рукописная книга росла в цене, но Краус решил передать ее в дар Йельскому университету. В настоящее время манускрипт хранится под номером MS408 в Библиотеке редких книг и рукописей Л. Байнеке при Йельском университете, но каждый желающий может увидеть его страницы в свободном доступе в интернете.

К «манускрипту Войнича» применяли методы компьютерного анализа (вот где понадобились идеи профессора Буля!). Результаты подтвердили, что текст — не бессвязный хаотичный набор значков, а именно язык, лингвистическая модель, схожая с романскими и германскими языками Средневековья. Выявлены и ключевые слова текста. «Войничский язык» оказался слишком организован для бессмыслицы. Средневековый шарлатан, коих множество водилось при королевских дворах, вряд ли смог произвести на свет двести с лишним страниц каллиграфического текста со множеством тонких закономерностей в структуре языка. Но по-прежнему никто не может прочесть ни единого слова из этой книги.

Вилфрид Войнич на склоне лет предложил еще одно имя, с которым могло быть связано появление таинственной рукописи в Праге. Он считал, что человеком, который привез манускрипт императору Рудольфу, был английский астролог и шпион Джон Ди. Последний также слыл особой незаурядной: математик, географ, философ, один из вдохновителей английской колонизации Северной Америки. Джон Ди оказался воистину многогранной личностью — секретный агент королевы Елизаветы I, собиратель старинных рукописей и владелец самой большой библиотеки в Британской империи XVI столетия, создатель трудов по геометрической магии и Каббале. Интересно, что свои донесения британской королеве Ди подписывал цифрами «007»...

Прошлое сплетает удивительные кружева: Буль–Войнич–Кравчинский–Рейли или же Роджер Бэкон–Рудольф II–Кирхер–Джон Ди... История может предложить судьбы и сюжеты на самый взыскательный вкус.

В 2011 году в российском издательстве «Деком» вышла в свет новая книга Леонида Спивака «**Уильям Буллит. Одиночество дипломата**».

Об Уильяме Бу́ллите написано на удивление мало. Несколько сухих политических исследований и всего одна биография не в состоянии отобразить его яркую, насыщенную событиями жизнь в Вашингтоне, Москве, Париже и Вене. Журналист и дипломат, писатель и аналитик, оставивший след на страницах романов Скотта Фицджеральда и Михаила Булгакова — в биографии нашего героя немало сюжетных поворотов. Он был женат на вдове Джона Рида, а в Москве у него завязался роман с Ольгой Лепешинской. Он был другом и единственным соавтором Зигмунда Фрейда и, говорят, стал прототипом Воланда из «Мастера и Маргариты».

Билл Буллит был первым послом США в Советской России. Нацисты называли его среди главных виновников Второй мировой войны. Он стал мэром Парижа в самые трудные для этого города дни. Будучи близким другом Франклина Рузвельта Буллит пошел на разрыв отношений с президентом. Оставив столичную службу, он отправился добровольцем на фронт в составе армии де Голля. За всеми этими историческими хитросплетениями вырисовываются главные качества дипломата — особый склад ума, редкая способность заглянуть далеко за горизонт, проницательность, обретавшая временами характер пророчества.